ANTHOLOG
FIRST WORLD WAR
FRENCH POETRY

EDITED WITH INTRODUCTION AND NOTES BY

IAN HIGGINS

UNIVERSITY of GLASGOW FRENCH & GERMAN PUBLICATIONS

1996

University of Glasgow French and German Publications

Series Editors: Mark G. Ward (German)
                    Geoff Woollen (French)

Consultant Editors : Colin Smethurst
                     Kenneth Varty

Modern Languages Building, University of Glasgow,
Glasgow G12 8QL, Scotland.

First published 1996

Printed by Remous Ltd., Sherborne, Dorset.

ISBN 0 85261 471 3

CONTENTS

PREFACE

Most educated Britons today have read 'The War Poets'. For some, this reading may be limited to a few poems by Owen and Sassoon, and perhaps a bit of Rosenberg. For others, it may even be where they first found out about the war. For yet others, it is the sum total of the British poetry they have read at school. Whatever our acquaintance with it, however, we all feel we know what First World War poetry is, and it tends to be thought of as part of our cultural baggage.

The view of Great War poetry that this situation implies is, in truth, a distortion, if only because, while Owen and Sassoon are anti-war poets, far more British poetry was written in support of the war than against it. But at least we do have a view, and we do read some poets. In France, however, the situation is different. There is certainly a view, but – with one exception – the poets are not read. They are not read because the view is that they are not worth reading. They are held to be not worth reading because they are assumed to be purveyors of outdated jingoistic clichés written in doggerel. The one exception is Apollinaire, but even he has sometimes been criticised for his war poetry, on the grounds that it is too flippant for so tragic a subject. How people can know what a corpus of poetry is like without having read it is hard to see. Apart from Apollinaire, virtually the whole of First World War French poetry has fallen victim to what one could most charitably call a collective amnesia, even more total than the one which has denied the French so much of their varied and high-quality poetry of the Second World War. The reputation (if any) of the French poets of both wars appears to have suffered from a critical assumption that, because they address and refract specific moments in history, they have nothing to say to us today: the interest of their poems is supposed to have evaporated when the wars ended. [1]

It is to pull the ancient rug from under this assumption that I have assembled the present anthology. It will become clear to anyone reading it that war poetry is no more to be defined exclusively by its referential content than are 'love poetry' or 'nature poetry' or 'women's poetry'. Other assumptions and other rugs should join the first. For a start, the fact that most French poetry – like most British poetry – is undistinguished should not blind us to the other fact that there is a lot of good French poetry of the war. Second, it is very varied, both in content and in expression. As in Britain, most poetry was written in support of the war; but much of this poetry is truly thought-provoking and emotionally compelling. However, as there were in Britain, there were anti-war poets as well. These are still virtually unknown in France, and some of them are embarrassingly strident and nothing more. But the anti-war poetry exhibits considerable variety, and is just as often challenging and moving as the pro-war poetry. Third, in France as in Britain, most First World War poetry cannot anyway be labelled simply 'pro' or 'anti' the war. It is usually more complex than that; indeed, the ethical dimension is sometimes at best implicit, in an apparent attempt to focus on the 'aesthetic' aspects of a situation.

This anthology, then, has five main aims. The first is to help fill an important gap in knowledge of French poetry and of the literature of the Great War. The second is to introduce some fine writers who are still largely – sometimes even totally – unknown. Third, the anthology should produce some surprises in the shape of little-known, but significant, works by famous writers. Fourth, I hope that the new material provided will also give a fresh incentive to study of the relations between 'literature' and the circumstances in which it is written and read. The fifth aim is to provide a corpus of material which can function as an accessible introduction, for English-speaking school and university students, to the reading, study and enjoyment of any French poetry, not just war poetry.

The choice of poems has been governed by three things: representativeness, quality and length. A major obstacle to creating a fully representative anthology of Great War French poetry is the mundane fact that very many poets wrote on an epic scale. Certain episodes – the 'miracle de la Marne' is a good example – were nearly always given the epic treatment. Such poems are representative in that there are so many of them. They are also very often mediocre. Fortunately, they are too long for inclusion here: as a rule, I have included only whole poems, because taking extracts from a poem usually distorts it too much; the few exceptions are signalled in the Notes to the Poems. Of course, most of the shorter poems of the war were mediocre as well. But then, so is most poetry, and most fiction and drama and film, at any time. Naturally, not all the poems in the anthology will be to everyone's taste, and readers are bound to disagree amongst themselves and with the anthologist as to which poems are good and which are poor. At all events, one does not usually anthologise peacetime rubbish, and I have been happy to include relatively few mediocre war poems. These few are chosen partly as representative samples of certain major themes and styles, and partly because, when compared with other poems, they help to focus readers' consideration of the hows and whys both of Great War poetry and of poetry in general.

'Representativeness' is unfortunately something of a many-headed hydra. Given the astonishingly high number of people who wrote war poetry, twenty-three might not seem representative at all. [2] There are over one hundred poems or extracts in the anthology: leaving aside the question of quality, a legitimate strategy would have been to include forty or fifty poets, with one or two poems by each. The reason for including several poems by each of a relative handful of poets is that it ensures a different sort of representativeness, one that is more useful to the student reader for whom the anthology is primarily intended. There are enough poems by each poet for readers to be able to form some idea of that poet's characteristic themes and techniques. So the reader is able not only to compare different poets' treatments of a given theme, but also to compare a single poet's efforts at coming to terms with a given thematic or stylistic challenge.

That said, it is a matter of regret that it proved impossible to meet the above criteria in respect of certain themes, notably that of nursing, which was such an important aspect of women's experience of the war. It is also regrettable that so many interesting poets have had to be left out. Fortunately, Nancy Sloan Goldberg's recent book does something to supply this deficiency, at least in respect of anti-war poetry.

The poems are presented in the simplest way, by author in alphabetical order. They could have been labelled differently—as 'Civilian' poems, or 'Trench', 'Religious', 'Nationalist' or 'Pacifist' poems, and so on. This would have had two disadvantages. First, it would have clamped arbitrary limits onto texts which are usually too multi-faceted to be reducible to a single category. And second, it would have usurped the reader's critical role. As it is, readers have a free hand in establishing comparisons and contrasts between poems, whether by a single author or by several. Editorial interference is limited to the Notes to the Poems, where potentially useful cross-references are suggested and the more obscure allusions and linguistic points are explained. The Notes also include a brief introduction to the work and, where appropriate, the role in the war, of each poet.

NOTES TO THE PREFACE

1.   Three recent books have done something to correct this amnesia, in the English-speaking world at least. E.A. Marsland's *The Nation's Cause* is a ground-breaking comparative study of French, German and English poetry of the war. Marsland is strongest on English and German, but her book is also indispensable reading for anyone interested in the French poetry. Nancy Sloan Goldberg's *Discourse of Dissent* is a useful study of a number of anti-war poets, and her *En l'honneur de la juste parole* is a major selection of anti-war poetry, which unfortunately did not appear until after compilation of the present volume was completed. I have been able to include references to it in some of the Notes to the Poems, but the reader is recommended to consult Professor Sloan Goldberg's work as an invaluable complement to the present anthology.

2.   Villard (1949) studied no fewer than 2,120 authors, and he deliberately ignored a lot of others (p. 289)!

ACKNOWLEDGEMENTS

Preparing the anthology has been an expensive and time-consuming business. I am very grateful to the University of St Andrews for having made it easier, first by granting me a semester's research leave, and second by subsidising much of the work from the research funds of the Arts and Divinity Faculties and the School of Modern Languages. I have been given patient help and advice by Joe Carson, David Culpin, Ray Furness, Barbara Lessels, Jan McLellan, Peter Read, Mary Rigby, Geoff Woollen and Robert Wilson: I thank them all most warmly.

The editor and publisher would like to thank the following for permission to reproduce copyright material:

ÉDITIONS DENOËL for 'Course pour vivre', 'Tu ne tueras pas', 'Le châtiment', 'Rappel', 'Résultat', from M. Sauvage, À Soi-même accordé, © Éditions Denoël.

ÉDITIONS GALLIMARD for 'Fête', 'Océan de terre', 'Merveille de la guerre', 'Il y a', 'Exercice', '2ᵉ canonnier conducteur', 'La colombe poignardée et le jet d'eau', from G. Apollinaire, Calligrammes; 'Secousse', from L. Aragon, Feu de joie; 'Les ombres se mêlaient...', 'Dominos d'ossements...', 'Or nous repassions...', from L. Aragon, Le Roman inachevé; 'Tant que voudrez, mon général!', 'Le précieux sang', from P. Claudel, Œuvre poétique; 'Roland Garros', from J. Cocteau, Le Cap de Bonne-Espérance; 'La cave est basse...', 'Tour du secteur calme' (extract), 'Délivrance des âmes', from Discours du grand sommeil; 'Je remercie la demeure...', 'Europe!...', 'Une angoisse qui tourne...', 'L'enseigne dort...', 'Deux trains sont arrêtés...', 'Mais d'autres flottes...', 'L'automne', from J. Romains, Chants des dix années; all © Éditions Gallimard.

MERCURE DE FRANCE for 'Pour mon immense amour', 'Fourmilières', 'Le tank', 'L'homme qui serait mort...', 'Ce qu'est un homme grand...', 'Et si tu tardais...', from P.J. Jouve, Œuvre, t. 1, © Mercure de France.

UNION GÉNÉRALE D'ÉDITIONS for 'Ce quai...', 'Musique militaire' (extracts), 'Médailles', 'Elles disent...', 'Lundi 11 novembre 1918', from M. Martinet, Les Temps maudits, © Union Générale d'Éditions.

RANDOM HOUSE UK for the map of the Western Front, from J. Terraine, The Great War : 1914–1918, © Random House UK.

INTRODUCTION

What is there left to say about the First World War? The British have Kitchener and Haig, Mons, the Somme, Passchendaele. The French have Joffre, Pétain, the Marne, the Chemin des Dames, Verdun. Both have the Kaiser, of course. The heroes and villains, the sterile bloodletting, the trenches waist-deep in freezing slime, these long ago became legends, and the legends became myths. 'Myth' is not used here in any pejorative sense, but in the sense of a tale told so often, and in such a way, as to have acquired quasi-proverbial status. For example, when Jean Dutourd writes in *Les taxis de la Marne* that 'il faut toujours choisir entre Verdun et Dachau' (p. 53), he is invoking two historical events recognised by all his readers as having exemplary moral significance. Verdun and Dachau are like two words in the dictionary: just as we do not need to know the etymology of 'blood' or 'trench' to understand these words, so Dutourd does not need to tell the stories behind 'Verdun' and 'Dachau', but needs only to mention the names for his readers to know (or think they know) what he means. The very title of his book draws on another such myth – the Paris taxis that carried troops to the Marne, where in the nick of time they were able to stop the German advance in September 1914.

It is partly the Great War's richness in myth that explains the moral and emotional power that it still has even now, when an endless succession of horrors, from the Third Reich to Srebenica via Hiroshima and My Lai, have forced themselves on our attention.

Many elements in the myth are, of course, common to both France and the United Kingdom (and to all the other major belligerents). It was in so many ways a war without precedent – in the numbers of dead, the numbers of countries involved, the mass conscription, the replacement of men by women in farm and factory work, the industrialisation of the killing, the churning into mud of soil, forests and whole villages. Above all, perhaps, this war is marked by a sense of paralysis – on the macro-level, with years of bloodshed leading nowhere and governments seemingly incapable of finding a way of ending the war, and on the micro-level, with soldiers crammed into trenches or, worse, trapped in barbed-wire entanglements or sucked into feet-deep mud. A particular variant of this powerlessness was the experience of women. Conditioned for generations to be dutiful and passive even in peacetime, women did not even have the vote. The five women poets in this anthology all express, in their different ways, this especially intense experience of the *civilian's* paralysis. At every level, the war was being created by human beings, and yet, perhaps unlike the Holocaust and other such atrocities, it increasingly seemed like some kind of unstoppable natural catastrophe, like a hurricane or a volcanic eruption, that no amount of human endeavour could deflect.

Soldiers were expected to die for their country, but never had death in battle been so passive. The scope for distinguishing yourself in combat was limited, it requiring no great prowess to slaughter men at a distance with artillery, machine-guns or gas. This is not to deny the truly incredible heroism of the soldiers: a horrible irony of this war was that the very anonymity of killing and dying took individual courage and endurance to new heights. For the soldiers, the whole experience of the front beggared description. And hearing about it then, like reading about it now, beggared belief. A symptom of this is that, in France as in Britain, nearly all the best novels about the war were written years after it finished. The very unimaginability of the war is another potent factor in keeping it alive as myth. So, perhaps, are all those grainy photographs of grey men with whiskers as improbable as their cumbersome kit, men often barely distinguishable from the sinister, unidentifiable debris that surrounds them.

Unimaginable it may have been and may still be, but the myth was a reality for all those men. And there was one simple, but crucial, difference between the French and British perceptions of that reality, a difference which helps to explain why so much First World War French poetry is so unlike what we in Britain have come to think of as poetry of the Great War. There are clues to this difference in R. H. Mottram's *The Spanish Farm Trilogy, 1914-1918.* At one point, a British soldier says of a dead French comrade: 'I must raise [my hand] in salute. I am English, he was French. He *meant* his war' (p. 250). Later, near the end, we read: 'The English had been welcomed as Allies, resented as intruders, but never had they become homogeneous with the soil and its natives, nor could they ever leave any lasting mark on the body or spirit of the place' (p. 785). As the second quotation shows, when Mottram writes that the Frenchman '*meant* his war' he is stressing that, unlike the Briton, the Frenchman *was* a native, and that he had a relationship with 'the soil and the natives' which no British soldier could have. The British soldier's likely attitude is more closely expressed in Wilfred Owen's poem 'Futility': 'Was it for this the clay grew tall?' asks the speaker, seeing a newly killed young man (p. 58). Few French poets would be likely to use an image of clay to protest against the war, because it was being fought on French soil, French clay and chalk. It was French villages and cathedrals, French crops and forests, that were being destroyed. The war was even being fought *in* French soil, in the trenches. Apollinaire and many others were very conscious of living deep in the body of France. The novelist Lucien Rolmer, in a letter from the trenches, wrote: 'Je vis comme une racine; j'en suis fier; – je me sens tremper dans le sol national. Je me donne' (Desthieux, p. 95). Like most of his comrades, Rolmer accepted this troglodyte existence because he was

fighting not only on and in, but *for* French soil and French identity –
for Alsace and part of Lorraine, lost in 1870, for the vital agricultural
and industrial north-east occupied by the Germans from the first
month of the war, and for a culture which Third Republic education
had striven to valorise as the true spiritual identity of France.

The French were therefore, in Mottram's words, fighting for 'the
body and spirit' of their country. This helps to explain why, whereas
British First World War poetry tends to be associated today with
protest against the war, most French poetry of the Great War is
vigorously patriotic. It is not, however, necessarily militaristic or even
jingoistic. Often, especially among the soldier-poets, it combines a
dislike of hatred and of killing with acceptance that an invader has to
be repelled. In truth, most British war poetry was similarly of a King-
and-Country persuasion (until the end of 1916 at any rate), but it was
clearly easier for British soldier-poets to denounce what Owen called
'The old Lie: Dulce et decorum est / Pro patria mori' ('Dulce et
decorum est', Owen, p. 55).

Why, though, should British Great War poets still be read when,
by and large, the French are not? Perhaps it is because, like most
poetry, the British war poetry that is still respected is essentially
protest. Poetry is after all a genre which, whatever else it does, resists
a status quo by expressing the world as a challenge to language,
calling language and the world into question in terms of one another.
It would have been astonishing if the perceived inexpressibility of the
war had not prompted people to write poems. But whereas the British
poets had war itself to protest against, most of the French, fighting
what they considered a necessary war, had only the Germans and the
Kaiser as targets. Perhaps, if you are on the side of the angels, there is
no cutting edge to your poetry, because, far from questioning language, you simply adopt the angels' propaganda. At all events, one
very pertinent question raised by this anthology is whether the anti-
war poetry is necessarily, or even usually, better than the pro-war
poetry. Or is it futile hot air?

Not all the poetry is necessarily for or against the war, however.
Even some of the soldier-poets wrote poems focusing on what one
might call the aesthetic aspects of the war, or on seeming trivia. Why
they should have done this is, of course, an interesting question in
itself. So is the important fact that neither the pro-war nor the anti-war
poetry is monolithic. Certainly, for most French people, France was
defending justice, truth and culture against barbarism. For some,
however, this was ultimately a struggle between Latin civilisation and
the savage Teuton. For others, soldiers as well as civilians, it was a
struggle between God and the Antichrist, France being God's chosen
instrument, or sacrifice, in the crusade. For Christian anti-war poets,
on the other hand, this war was a monstrous distortion of the gospel of
love – few failed to point out that the Germans, too, thought God was
on their side. For some, the war was confirmation that there was no

god. For others, to identify the nation with military triumph was to
betray the true France, the cultural capital of the West. For yet others,
the war was a betrayal of the socialist internationalism of the prewar
years. Most people, of course, whether for the war or against it, held
some permutation of these and other views. In exploring the content
and expression of this neglected poetry, it is vital not to let any kind of
late twentieth-century political correctness blind us to the facts of
1914–1918, however distasteful we may find them – the passion, the
sincerity, and the simple ineradicable *reality* of these varied and
sometimes complex stances. However dated the expression sometimes is, these emotions and ideas are, fortunately or unfortunately,
still common currency today. Like all myths, the war, and therefore its
poetry, compels a quasi-ritual contemplation of what it is to be human
beings, individuals defined by, and defining, the morality of their
membership of a group or groups.

This ritual can be a harrowing one. For to read the poetry of the
Great War – French even more than British – is indeed to confront
some of the great mysteries of humanity, our most primitive fears and
hopes, the splendours and scandals of the passion that is patriotism,
our capacity for honesty and bad faith, for heroism and evasion, for
self-scrutiny and self-delusion.

Naturally, any ritual can be misused as a way of piously ignoring
present ills. At this very moment, for example, in September 1995,
rather than wringing our hands over the hell of the trenches, should we
not be taking steps to prevent genocide in Africa and Bosnia? It is
because, in various ways, they address this very danger that the poems
here have been chosen. As I have suggested, they do it mainly by
explicitly or (more usually) implicitly questioning the world and
language in terms of one another: what *is* it that is so 'inexpressible'?
why is it inexpressible? why should I *try* to express it? *how* shall I
express it? Above all, how can I *communicate* what I express? Whatever else it does, this poetry puts you face to face with your
conscience, here and now: shall it be Verdun? Or Dachau? My head in
the sand? Or on a block?

The anthology raises another important question. Does knowing
the poets' 'group' affiliations – that is, knowing their social circumstances – affect one's reading of their poems? Does it make any
difference if a triumphalist call to hammer the Boche is expressed by a
soldier at the front, or a well-fed pipe-and-slippers strategist in Paris,
or a diplomat in Rome, or a mother? Is there a difference between the
anti-war poems of a soldier in his trench and those of a pacifist in
Geneva, or those of the soldier's fiancée? These questions imply
another: should one, can one, avoid stereotyping other people and
oneself? The poems are written by individuals, they often have
individuals as protagonists, sometimes they are even addressed to
individuals. Yet, so often, they evoke *categories* of people – the Soldier, the Civilian, the Son, the Wife, the Hun, and so on. This exem-

plariness is another way in which, for better or for worse, the poems
tend to crystallise the war as a myth or myths.

To understand the relation between the poetry and these realities
and myths, it is necessary to have some idea of the course of the war
on the western front. The following notes are in no sense a history of
the war, but a sketch of the background against which the poems in
the anthology were written. (Note that, for the sake of simplicity,
'Germany' and 'the Germans' are taken to include 'Austria' and 'the
Austrians', who were often involved in the episodes mentioned.)[1]

The strident revanchism that had followed defeat and the loss of
Alsace and part of Lorraine in the Franco-Prussian war of 1870–1871
had to a great extent faded by 1910, and was now mainly the preserve
of right-wing nationalists. Parallel to this development was a growth
in socialist representation in parliament, a socialism marked by anti-
nationalism and pacifism. Accordingly, when mobilisation was
announced on 1 August 1914, the dominant reaction was one of surprise, not bellicose enthusiasm. Germany declared war on 3 August,
however, and the French saw themselves as the innocent victims of
aggression. The first troops to leave for the war were certainly given
the traditional heroes' send-off, with cheering crowds and confident
predictions that the French would be in Berlin by Christmas. After the
German invasion later in the month, the mood grew into a resigned
but firm determination to drive the invader out. Another surprise was
the so-called *Union sacrée*, a kind of ideological truce in which the
opposed political groupings in France subordinated their differences
to the interests of national defence.

The German army, bigger and with superior firepower, quickly
overran most of Belgium. By the end of August it had occupied the
agriculturally and industrially vital north-east of France and was
advancing on Paris. The advance was so fast, however, that in early
September the invader's flank became vulnerable to counter-attack.
Gallieni, in charge of the Paris garrison, was allowed by the French
Comander-in-Chief, Joffre, to make that attack. Commandeering the
Paris taxicabs, he got his troops to the river Marne in time to engage
the enemy. The ensuing battle of the Marne ('le miracle de la Marne')
stopped the German advance and was followed by the so-called
course à la mer, the two armies, German and Franco-British, trying in
vain to get round behind each other in a series of northward lurches.
By the end of 1914 the front was static, 450 miles of trenches
stretching from the Swiss border to the Channel coast.

None of the combatant armies was trained to wage trench warfare,
or to cope with the unprecedented destructive power of modern
artillery and the machine-gun. The French in particular, despite losing

300,000 dead before the end of 1914 (never mind the 600,000 wounded, missing or captured), continued to pursue a strategy of all-out attack throughout 1915, Joffre's aim being to wear the enemy down by a war of attrition ('je les grignote', as he is reported to have said). During this year, the French lost 600,000 dead, plus another 1,400,000 casualties. Unsurprisingly, the *Union sacrée* began to show signs of strain, some people, mainly socialists, asking whether a negotiated peace might not be better than endless bloodletting.

In 1916, bloodletting was indeed the declared German strategy, in the battle that more than any other encapsulates the Great War for French people – Verdun. Verdun was a fortress town of great historical and symbolic significance, although in 1916 the town itself was of so little military importance that most of its guns had been moved elsewhere. There were nonetheless half a million French troops in the area. The city was defended by a system of outlying forts, notably Vaux and Douaumont. The Germans reasoned that French morale would not survive the loss of Verdun, and they planned a sustained assault on it which would draw so many French troops in to defend it that France would be 'bled white'.

The Germans' assumption was right. On 21 February, they launched the greatest artillery bombardment yet seen. Over the next few days they advanced three miles. Fort Douaumont fell on the 25th. (Fort Vaux held out until June.) Suffering huge losses, the French duly poured reserves in to replace them. The men and munitions were transported from Bar-le-Duc along a road that came to be known as *la Voie Sacrée*. Under General Pétain, the French showed incredible courage and obstinacy as the slaughter continued, with minimal advances and retreats, all through the summer. Fort Douaumont was retaken on 24 October, Fort Vaux on 3 November. The struggle for Verdun itself can be reckoned to have been over by the end of July, but the battle went on until December. And so the initial German calculation proved only to have been half right. Verdun itself had not fallen, and, from 21 February to 31 December, the Germans had lost very nearly as many killed and wounded (143,000 and 187,000 respectively) as the French (162,440 and 216,337 respectively). It should not be forgotten, of course, that 1916 was the year of the Somme (July–November). In dead alone, the French lost 140,000 on the Somme, plus 200,000 wounded. The French loss rate was therefore in fact higher on the Somme than at Verdun. But it is Verdun that remains in the national consciousness as *the* defining battle of the Great War.

By the end of 1916, sabre-rattling enthusiasm for the war had all but evaporated in France. Civilians had already felt the increase in the cost of living in 1915. Things grew dearer still in 1916, and price controls were introduced. (Shortages of fuel and food were to become more serious in 1917, and rationing was introduced in 1918.) At the end of 1916, Joffre was replaced as Commander-in-Chief by General

Nivelle. Despite the carnage at Verdun (for which Joffre was in effect
made the scapegoat), civilian morale still held more or less firm,
thanks partly to the strict censorship imposed throughout the war and
partly to a largely gung-ho press. This triumphalist propaganda was
scornfully called *bourrage de crâne* by the soldiers, who throughout
the war were angered and embittered by the gross disparity between
the realities of the front and the rosy picture painted of it for civilian
consumption. It was hard enough for a *poilu* on leave to put his
experiences into words; when civilians then either could not or
cravenly would not hear the truths they were being told, he felt a
desolate estrangement from his fellow-citizens. (Conversely, of
course, he would often consciously conceal the horrors, in order to
reassure his loved ones.) The best-known exponent of *bourrage de
crâne* was the nationalist novelist Maurice Barrès, who wrote a
regular column throughout the war in the *Écho de Paris*. It was Barrès
who coined the name 'Voie Sacrée'. He was despised by most soldiers
as a hypocritical armchair warmonger, but he was revered by others as
the most eloquent advocate of a notion of *patrie* as a soil nourished by
the nation's dead and made sacred by their blood.

One significant text that did – astonishingly – elude the censor in
1916 was Henri Barbusse's novel *Le Feu*, which shared the prix
Goncourt for that year. *Le Feu*, to which reference will be made
several times in the Notes to the Poems, stands out as a frank portrayal
of the realities of the front – a very different picture from the one
offered by Barrès and others. *Le Feu* remains one of the most powerful of anti-war texts.

It is clear that, from the end of 1916, the population as a whole
took *bourrage de crâne* in all its forms less and less seriously. Indeed,
the first half of 1917 saw a genuine faltering in the morale of civilians
and soldiers alike. This was due primarily to the expensive failure of
suicidal attacks repeatedly launched by Nivelle in April at the Chemin
des Dames, a ridge between the river Aisne and Laon. The pointless-
ness of this massacre led to Nivelle's replacement on 15 May, by
Pétain. Pétain's first job was to deal with an outbreak of mutinies,
which he did with firmness and a sensitivity that further enhanced the
reputation of 'the saviour of Verdun'. This temporary crisis in army
morale was paralleled by growing criticism in some newspapers of the
conduct of the war, by a series of spy scandals, and by confirmation
that German money was supporting certain expressions of *défaitisme*
(by which was meant the advocacy of a negotiated peace). Socialist
internationalism began to reassert itself more strongly and, inasmuch
as the socialists withdrew from government, the *Union sacrée* was
less of a reality. There were a number of strikes in May and June,
some of them in munitions factories. These were motivated mainly by
anxiety about rising prices, although anti-war slogans were sometimes
heard. Yet few people were ready to contemplate peace at any price.
There were occasional cases of soldiers on leave being roughed up for

saying it was time the war was stopped. However, military morale seems to have recovered in the second half of 1917. The predominant view among the population as a whole was that, after such enormous sacrifices, nothing less than total victory would do.

In December 1917, revolutionary Russia signed an armistice with Germany, which could now concentrate its forces in the west. In the spring of 1918, a series of strikes inspired by the Bolshevik revolution briefly disrupted the metallurgical industries. This time, the objectives were political, but most factory workers were keener on a French victory than on pacifism or revolution, and refused to undermine the war effort by serious strike action. In March, the Germans launched a major offensive. Between then and June they drove the Allies back along the whole of the front, coming back to the Marne forty miles from Paris. Paris itself, which had suffered air raids since 1915, came under fire from the huge gun 'Big Bertha'. The situation was grave. General Foch was appointed supreme commander of the allied armies, which now included United States forces. In July, Foch counter-attacked, and the Germans were steadily driven back. Finally, they agreed to an armistice, signed on 11 November 1918.

France had lost 1,322,000 men killed in the Great War. At 16.6% of those mobilised, this was a bigger proportion than for Britain, Germany or Russia. Of the 3,000,000 wounded, one million needed invalidity pensions, more than 125,000 had lost a limb or limbs, and 42,000 were blind. The ten occupied *départements* had been exploited practically to extinction, while vast areas of agricultural land had been ravaged and poisoned by battle. In 1919, French agriculture and industry produced little more than half what they had in 1913.

A NOTE ON FRENCH VERSIFICATION

The aim of this note is to introduce English-speaking students to those rudiments which will enable them to read the poems properly and understand them better.[2] It is based on three assumptions. First, poetry should be spoken and heard. Second, versification is not enough in itself to turn verse into poetry, which works through the interaction of every feature of the text, including semantic, syntactic, rhythmic and phonetic elements. Third, there is often more than one way of reading a line. The readings given below are defensible, but others may be just as defensible; reading a poem is as individual an exercise as interpreting a piece of music.

Strictly speaking, French verse is not *metrical*, but *syllabic*. That is, the writer does not have to choose among conventional combinations of stressed and unstressed syllables, as in traditional English, German or Latin verse. The line of verse in French is defined in terms of the *number of syllables* it contains, and the arrangement of stresses and rhythm may vary greatly within that framework.

The commonest lines in traditional verse have an even number of syllables. They are the *alexandrine* (twelve syllables), the *decasyllable* (ten) and the *octosyllable* (eight).

From the sixteenth century to the early twentieth century, the alexandrine was the staple of French verse. It is still commonly used today. Until the mid-nineteenth century, it nearly always had a natural pause, or *caesura*, after the sixth syllable. Since then, the pause or pauses in the alexandrine have often been more flexible. The second most common traditional line is the octosyllable. It is found in odes and lyrical ballads of all kinds, including folk songs and humorous verse. It has no fixed caesura. The decasyllable, too, has never had a fixed caesura, though it has tended to divide either 4/6, 6/4 or 5/5. The 5/5 division lends it to light, song-like use.

Lines with an odd number of syllables (*vers impairs*) are less common. They are more fluid, since it is impossible to divide them evenly. They lend themselves to light, playful or popular verse, but they can be very loaded emotionally.

Since the late nineteenth century, much poetry has been written in free verse, quasi-biblical *versets*, or even prose. Both free verse and *verset* are represented in this anthology. There is a wide range of effects open to poets using these forms, too wide to be investigated here. However, knowing how the traditional forms work enables the reader to appreciate how the poem in free verse or *verset* differs from them, and what this implies.

The mute e. In determining the number of syllables in a line, the essential difference between orthodox verse and prose is the use made of the mute e (or *e atone*) in verse. The mute e is an e which is written, but either not pronounced (as in *joi(e)*, *sav(ent)*, *fin(e)*)) or pronounced very slightly (as in *le*, *petit*, *genou*). In standard speech, the mute e is very often not sounded even in words like *petit* or *genou*.

However, unlike standard practice in speech, the mute e in the interior of a line of orthodox verse is pronounced, and therefore counts as a syllable, *unless* it is immediately preceded or followed by a vowel-sound. Here are some examples.

Mute e between two consonant-sounds. 'L'ho*mm*e *v*aincu' has four syllables in verse: the mute e in 'homme' has to be sounded because it is trapped between two pronounced consonants, [m] and [v] (italicised here). In standard prose, however, the mute e of 'homme' is not sounded, and there are only three syllables: 'l'homm(e) vaincu'.

Mute e preceded by a vowel. 'La tuerie' in a line of verse is read 'la tu(e)rie', as in prose, having two syllables and not three.

Mute e followed by a vowel. 'Quelle hébétude' in a line of verse is read 'quell(e) hébétude', as in prose, having four syllables and not five.

Note that, as this last example shows, it is not *spelling* that is the deciding factor, but *sound*. The h of *hébétude* is not heard, so that the mute e of 'quelle' is followed by a vowel-sound, [e]. However, in an expression like 'quelle haine', the mute e *is* pronounced in verse, because the aspirate h of *haine* counts as a consonant. This expression therefore has threė syllables in verse, but only two in prose.

The mute e in verb-endings sometimes seems problematic to English-speaking students, but it conforms to the above rule. So 'ils croient' and 'il joue' both have two syllables in verse, as in prose. However, 'il se lève matin' and 'ils se lèvent matin' both have six syllables, because in each case the mute e of the verb-ending is trapped between two consonant sounds, [v] and [m].

Note that liaison is strictly practised in orthodox verse. In the phrase 'ils s'adonnent au jeu', the t at the end of 'adonnent' must be sounded. The mute e in the verb-ending then has to be pronounced, because it is trapped between two consonant-sounds, [n] and [t]. The phrase therefore has six syllables in verse, as opposed to five in prose. Similarly, 'des pivoines en tas' has six syllables in verse, because the mute e of 'pivoines' is trapped between two consonant sounds, [n] and [z], and is therefore pronounced. (Note that, in verb-endings, *-ent* is not pronounced as a nasal, as in *lent* or *tourment*, but like any other mute e, as in *le, petit*, etc.)

Where a mute e *ends* a line, it does not count as a syllable for the purposes of scansion. This is so even where, in speaking the line, it is hard or impossible to avoid sounding a slight 'support vowel' at the end of a consonant group, as in *impossible, trèfle*, etc. In discussing the effect of the line, one must take this into account, of course.

Rhythm. Rhythm is produced – as in prose – by the division into breath-groups (hereafter 'groups') constituted by the sense of what is being said, and ending with a main stress. There is nearly always a pause after a main stress. This will often be a minimal pause, but it will always be perceptible in the context of the line. This is not an arbitrary rule which writers and speakers of verse are forced to obey, but simply normal French practice in speech. In verse, when such a pause occurs within a line, it is known as a *caesura* (*une césure*). In the alexandrine, there is a tendency for the line to divide into even groups, or into groups which make an even unit when paired together. In the following examples, secondary stress is not shown. (It will be dealt with below.) [/] denotes a pause, of whatever length. The syllables are numbered, and unsounded and uncounted mute e's are printed in brackets. The commonest division is into groups of six:

```
1   2   3   4   5   6    7   8   9   10  11  12
```
Vous bougez vaguement / vos jambes condamné(es) /   6/6/

Each of the equal halves of the alexandrine is called a *hemistich*. Here are some other common combinations in the alexandrine:

1   2   3   4   5 6 7 8   9   10 11   12
Vous bâillez / Vous avez une bouch(e) / et des dents /   3/6/3/

1   2 3   4   5   6   7 8 9   10   11 12
Sur la terr(e), / à genoux, / méditons et prions /   3/3/6/

1   2   3   4   5 6   7 8   9 10 11   12
Ce soir, / quelle sirèn(e), / avec d'horribles râl(es) /   2/4/6/

1   2   3   4 5   6   7   8   9   10 11 12
Que courent à la mort / les grands fils, / les époux /   6/3/3/

Those are a few of the traditional 'even' groups into which the alexandrine can fall. But there is no reason why the groups should necessarily be of two, three, four or six syllables. The balance of the alexandrine is easily disrupted. Here are two examples:

[...] Le Dur [...],

1   2   3   4   5   6   7   8   9   10   11   12
Au signal, / se lança d'un bond / sur la tranché(e) /   3/5/4/

1   2   3   4 5 6 7 8 9   10   11   12
Les hom/mes, un rictus effrayant / sur la bouch(e) /   2/7/3/

In the last example, the mute e of 'hommes' is part of the following group. This is because standard French is different from English in that the main stress of a group is always the last syllable of the group. As a result, in verse, if it is followed by a pronounced mute e, *that mute e is heard as the first syllable of the next group*. Here is another example:

1   2   3 4 5   6   7   8 9 10 11   12
Fem/mes, le désespoir / sèche-t-il votre cœur? /   1/5/6/

This kind of division is called a *coupe enjambante*, because the word straddles (*'enjambe'*) the break or cut (*'coupe'*). In such cases, there is not a true pause after the stressed syllable, but an 'apparent pause'. The syllable is stressed and the delivery slowed down, but there is little or no fall in pitch. The effect is equivalent to a pause, and often actually sounds like one. Again, these are not arbitrary rules, but normal French practice in speech. Sometimes, however, for expressive reasons, it will be decided that a *coupe enjambante* is inappropriate, and the group will end with a mute e. This is called a *coupe lyrique*. Such cases are always striking, because so rare. The *coupe lyrique* can give a variety of dramatic effects. Here are two examples (note that [(+1)] denotes the pronounced, but *always unstressed*, mute e ending a group):

Femmes, / le désespoir / sèche-t-il votre cœur? /   1(+1)/4/6/

[...] vous étiez
Plus libres. / Parmi vous, / il y avait des lionnes /   2(+1)/3/6/

For a simple illustration of varied effects offered by the choice of *coupe enjambante* or *coupe lyrique*, one can take this line from Porché's *Poème de la tranchée*: 'Ils attendent, l'œil pâle, assourdis à moitié.' If the line is read with the orthodox *coupe enjambante*,

Ils atten/dent, l'œil pâl(e), / assourdis à moitié /   3/3/6/

the second syllable of 'attendent' is naturally slightly lengthened and stressed, more so than if the line were read as prose. This is a simple way of emphasising the tension of the men waiting to go over the top. If the line is read with a *coupe lyrique*, however, the relative rarity of this option emphasises the tension in a different way, partly through the anarchic use of a weak syllable to end a group, which automatically claims the listener's attention, and partly through the introduction of a dramatic pause after the verb:

Ils attendent, / l'œil pâl(e), / assourdis à moitié /   3(+1)/2/6/

These examples show the important effect of the *coupe enjambante*, and indeed of the mute e in general. The mute e has to be sounded in verse, but this is so foreign to everyday speech habits in standard French that it would sound peculiar if the mute e were given prominence. The consequence is that a good speaker gives it minimal stress and instinctively stresses and lengthens the immedi-ately preceding syllable (except where this would mean that an unimportant word came into grotesque prominence, such as *comme* or the feminine indefinite article). Take these lines from Apollinaire's 'Fête' (which is almost entirely in octosyllables):

> Deux fusants
> Rose éclatement
> Comme deux seins que l'on dégrafe
> Tendent leurs bouts insolemment

If the extract is read as prose, the literal meaning is perfectly clear: two pink shell-bursts (in the night sky, as the context shows) resemble a woman's breasts revealed when she takes her top off. But the simile is much less trivial, much more tragically ironic, if the lines are read as verse. For example, if read as prose, 'éclatement' would only be stressed on the last syllable: 'éclat'ment'. But in a verse reading, the mute e in the middle has to be sounded; so another stress is intro-duced, on the 'cla' part of the word. The word is lengthened and more prominent, and its sound-symbolic element is more apparent, because the t is not muffled as it is in prose. The contrast between the softness connoted in 'Rose' and the explosion of shrapnel is stronger, so that the comparison with breasts becomes discordant and ironic.

In the next line, similar expressiveness is achieved by different means. The mute e in 'Comme' must be sounded, but it would be absurd to give this conjunction any stress here. What one does is to play down the 'Comme', speaking it quietly, relatively quickly, and with no kind of emphasis. The result is to focus more attention than in prose on what follows – the 'deux seins'. The unsettling irony in comparing exploding shells to breasts is therefore emphasised a little more than it would be in a prose reading. The effect is heightened still further in the fourth line, where the mute e in the verb-ending has to be sounded. Automatically, the voice slightly stresses and slightly lengthens the first syllable in 'Tendent'. Lingering over the verb draws more attention to it than if it were spoken as prose, emphasising, and perhaps even imitating, the provocativeness of the action described. There is a grating irony in this mixture of exploding shells, shrapnel, the crude erotic come-on and the potential tenderness of female sexuality. It is a complex image, both seductive and repellent, and much of its effect is created by Apollinaire's exploitation of the expressive power of the mute e.

As this example shows, there is usually more than one stress in a group. In addition to the stress on the last syllable (the 'main stress'), there may be one or two 'secondary stresses' (very rarely three). There is never an audible pause or apparent pause after a secondary stress. Secondary stresses may give further balance to the line, or they may break it up. Secondary stress is crucial in most lines – indeed, much of the effect of the lines from 'Fête' derives primarily from the secondary stresses. Here is a reading of them, showing all the stresses and giving a simple numerical notation of them. Stressed syllables are printed in bold italics. In the numerical notation, each digit denotes a group ending with a stressed syllable; a word-group coming immediately before a [+] is one ending with a *secondary* stress (with no audible pause or apparent pause after it); a group coming immediately before a [/] (which denotes a pause or apparent pause) is one ending with a *main* stress.

Deux fus**an**ts /	1+2/
Rose écl**a**tement /	1+2+2/
Comme deux **sein**s que l'on dé**gra**fe	4+4/ (*or* 3+1/4/)
Tendent leurs b**ou**ts / insol**emm**ent /	1+3/2+2/

Compared with readings obtained from speech-analysis in the laboratory, this notation is primitive. There are many degrees of stress in a line, and intonation, speed of delivery and length of pause vary all the time. However, as long as this is borne in mind, the simple system used here is adequate for indicating one's reading of a line of verse.

Here are some further examples, to show something of the variety of effects that can be produced by the combination of main and secondary stress:

La c**ar**gaison de ch**ai**r / que notre m**ar**che entr**aî**ne /	2+4/4+2/
Vers le f**a**de parf**um** / qu'exh**a**lent les gangr**è**nes /	3+3/2+4/
Au **lon**g pourr**i**ssement / des entonn**oir**s noy**é**s /	2+2+2/4+2/
Roule au l**oin** / r**ou**le / tr**ai**n des dern**iè**res lu**eur**s /	1+2/1(+1)/1+3+3/

Et les muscles mêlés, / sanglants, / fumants encor, /   3+3/2/2+2/
Ils roulèrent tous deux, / et râlèrent ensemble, /   3+3/3+3/
Horri/bles, bouche à bouche, / enlacés dans la mort /   2/2+2/1+2+3/

Et des femmes s'en vont, / sou/ples, les bras chargés   3+3/1/3+2>
    De fleurs. / Il y a des pivoines. /   2/6/

The last example contains a case of enjambement. Enjambement
occurs when a phrase that would normally be spoken as a single group
(with or without secondary stresses) begins in the interior of one line
and ends in the interior of the next. That is, it straddles the break
between the lines. The enjambement is denoted by [>] in the notation.
Enjambement permits a variety of effects. Because it is exceptional, it
often attracts extra attention to the words involved. In the example
given here, however, the effect is to break up the formality of the
verse into something more prosaic; in the context (Périn's 'Marché'),
this heightens the contrast between the women's mundane preoccup-
ations and the unimaginable world of the trenches.

Because traditional versification is so well established, poets who
know what they are doing can use the very fact of departing from it to
good effect. Simply using *vers impairs*, for example, can create a
variety of effects, through the inevitable rhythmic imbalance. Never-
theless, with poetry in free verse (for example Cocteau's or some of
Apollinaire's) or *versets* (for example Charasson's or Claudel's), it is
sometimes hard to know just how to read it. The simple notation of
stresses and rhythm suggested above is applicable to any piece of
language, although in prose there will not normally be any question of
sounding the mute e where this can be avoided. But free verse and
versets are often very subtle rhythmically, and the reader must be alert
to this. In such writing, the reader has to let the semantics, imagery
and verse forms of each poem dictate the conventions according to
which it is to be read. Sometimes it will seem appropriate to sound the
mute e, sometimes not.

Rhyme. The essential requirement for rhyme is that in two or more
words the last stressed vowel, and any sounds that follow it, should be
the same. For most purposes, it is enough to distinguish the three basic
degrees of rhyme:
    Rime faible (or *pauvre* or *insuffisante*). Only the stressed vowel-
sound rhymes: enfant / tant; revue / salue.
    Rime suffisante. The last two sounds are identical (vowel +
consonant or consonant + vowel): cheval / égal; bonté / charité.
    Rime riche. The last three sounds are identical: cheval / rival;
tordu / perdu; verve / serve; Noé / Arsinoé.
It is often convenient to label the combinations of rhyme:
    Rimes plates: aa / bb / cc etc.
    Rimes croisées: abab / cdcd etc.

Rimes embrassées: abba / cddc etc.

Rimes redoublées: more than two lines have the same rhyme, for example in a five-line stanza with the structure abbab.

Punctuation. Punctuation is not part of versification, but some of the poets in this anthology omit it for apparently prosodic reasons. This can be disconcerting for the English-speaking reader encountering it for the first time. The main reason for leaving punctuation out is that orthodox punctuation can impose a rational, reflective reading, and represents a coherence introduced into the experience by the writer after the event. Many modern poets are concerned to convey an impression of spontaneity, the experience expressed having its own coherence, which is not necessarily that of rational reflection. Once standard practice is jettisoned like this, different poets operate different conventions. This means that one cannot, as is usually possible with a poem punctuated in the orthodox way, trust the punctuation as a guide to reading the text. There will, then, often be several options open to the reader. The answer is to experiment until finding the reading most consistent with what seem to be the complexities and priorities of the text. Normally, however, one should still be ready to mark a slight pause at the end of each line, even in cases of enjambement. One thing to remember is that sparse or non-existent punctuation does not necessarily mean that the poem 'goes with a smooth flow'. Usually, the opposite is the case, the text moving with the unevenness, sometimes the hesitation, of ordinary speech, which is very far from having the smoothness and coherence of properly punctuated prose.

NOTES TO THE INTRODUCTION

1. For useful introductory studies of the war and its effects on soldiers and civilians, see the works listed in the Bibliography.

2. For more detailed works on the question, sees the works by Leakey, Lewis and Scott listed in the Bibliography. Scott's studies are particularly detailed. However, he tends to focus on scansion at the expense of reading, especially in *French Verse-Art*. His numerical notation therefore follows a different system from mine, which is intended to help English-speakers who want to read French verse properly. Beginners will find the works by Leakey and Lewis the most useful. Once they have grasped the basics, they will be in a position to appreciate Scott's penetrating sophistication.

THE WESTERN FRONT

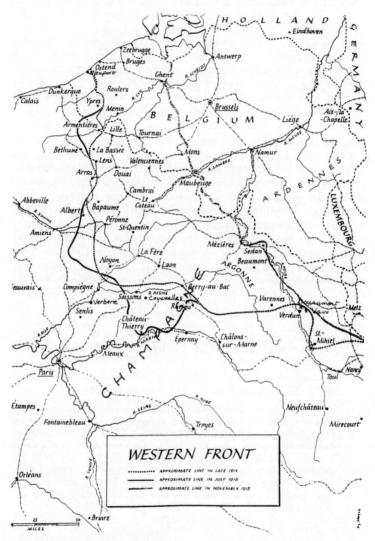

This sketch map shows principal towns and scenes of action on the Western Front, together with places mentioned in the poems. Adapted by kind permission from: J. Terraine, *The Great War : 1914–1918* (London: Hutchinson, 1965).

INTRODUCTORY BIBLIOGRAPHY

Throughout this bibliography, the place of publication is Paris, unless otherwise stated.

General

Audouin-Rouzeau, S., *Men at War, 1914–18. National Sentiment and Trench Journalism during the First World War*. Cambridge, etc., Cambridge University Press, 1992.

Barbusse, H., *Le Feu*. Flammarion, 1935. (First edition 1916).

Barker, P., *The Eye in the Door*. Harmondsworth, Viking, 1993.

————— *Regeneration*. Harmondsworth, Viking, 1991.

————— *The Ghost Road*. Harmondsworth, Viking, 1995.

Becker, J.J., *The Great War and the French People*. Leamington Spa, Berg, 1986.

Canini, G., *Combattre à Verdun. Vie et souffrance quotidiennes du soldat 1916–1917*. Nancy, Presses Universitaires de Nancy, 1988.

Desthieux, J., *La Statue du poète Lucien Rolmer*. À l'Office bibliographique, 1930.

Dorgelès, R., *Bleu horizon*. Albin Michel, 1949.

Dutourd, J., *Les Taxis de la Marne*. Gallimard (coll. 'Folio'), 1973. (First edition 1956).

Faulks, S., *Birdsong*. London, Hutchinson, 1993.

Ferro, M., *The Great War, 1914–1918*. London, Routledge, 1973.

Flood, P.J., *France 1914–18. Public Opinion and the War Effort*. London, Macmillan, 1990.

Fussell, P., *The Great War and Modern Memory*. London, Oxford & New York, Oxford University Press, 1975.

Gilbert, M., *First World War*. London, Weidenfeld & Nicoloson, 1994.

Goldberg, N. Sloan, *Discourse of Dissent: French Poetry Against the Great War*. Ann Arbor, Michigan, University Microfilms International, 1988.

———————— *En l'honneur de la juste parole. La poésie française contre la Grande Guerre*. New York-Frankfurt-Paris, Peter Lang, 1993.

Hill, S., *Strange Meeting*. London, Hamish Hamilton, 1971.

Horne, A., *The price of Glory. Verdun 1916*. London, Macmillan, 1962.

Japrisot, S., *Un long dimanche de fiançailles*. Denoël, 1991.

Leakey, F.W., *Sound and Sense in French Poetry*. London, Bedford College, 1975.

Leed, E.J., *No Man's Land. Combat and Identity in World War I*. Cambridge etc., Cambridge University Press, 1979.

Lewis, R., *On Reading French Verse*. Oxford, Clarendon Press, 1982.

Marsland, E.A., *The Nation's Cause. French, English and German Poetry of the First World War*. London & New York, Routledge, 1991.

Mottram, R.H., *The Spanish Farm Trilogy, 1914–1918*. London, Chatto & Windus, 1927.

Owen, W., *The Collected Poems of Wilfred Owen*. London, Chatto & Windus, 1963.

Scott, C., *French Verse-Art. A Study*. Cambridge etc., Cambridge University Press, 1980.

———— *Reading the Rhythm. The Poetics of French Free Verse 1910–1930*. Oxford, Clarendon Press, 1993.

Slater, C., *Defeatists and their Enemies*. London, Oxford University Press, 1981.

Stephen, M. (ed.), *Never Such Innocence. A New Anthology of Great War Verse*. London, Buchan & Enright, 1988.

Villard, E., *La Poésie patriotique de l'arrière en France et la Guerre de 1914–1918*. La Chaux-de-Fonds, Imprimerie des Coopératives Réunies, 1949.

Winter, J.M., *The Experience of World War I*. London, Macmillan, 1988.

Poets in the Anthology

This list is confined to the editions used, to other war poetry or works directly relevant to it, and to introductory critical works on the poets' war poetry. The latter are not classed separately, but follow immediately after the author to whom they refer.

ADAM, E., Poems in *Les Humbles* (mai 1918, juin 1918) and *Soi-même* (15 juin 1918, juillet–août 1918, 15 décembre 1918).

———— 'Coqs de combat' (uncensored version), in *Anthologie des écrivains morts à la guerre*. Amiens, Malfère (5 vols), 1924–1926, Vol. 2.

Higgins, I., 'Edmond Adam' (with translations by Higgins and D.D.R. Owen), in T. Cross (ed.), *The Lost Voices of World War I*. London, Bloomsbury, 1988, pp. 232–7.

Wullens, M., 'Edmond Adam', in *Les Humbles,* décembre 1918.

APOLLINAIRE, G., *Calligrammes*. Gallimard (coll. 'Poésie'), 1966.

———— *Calligrammes* (eds. A.H. Greet, S.I. Lockerbie). Berkeley, University of California Press, 1980.

Debon, C., *Guillaume Apollinaire après Alcools. 1*. Calligrammes. *Le Poète et la Guerre*. Minard, 1981.

ARAGON, L., *Aragon parle avec Dominique Arban*. Seghers, 1968.

———— *Entretiens avec Francis Crémieux*. Gallimard, 1964.

———— *Le Mouvement perpétuel* précédé de *Feu de joie*. Gallimard (coll. 'Poésie'), 1970.

———— *Le Roman inachevé*. Gallimard (coll. 'Poésie'), 1966.

Daix, P., *Aragon, une vie à changer*. Seuil, 1975.

ARCOS, R., *Le Sang des autres*. Genève, Les auteurs [Arcos and F. Masereel, who did eight woodcuts], 1919.

Goldberg, N. Sloan, *Discourse of Dissent: French Poetry Against the Great War*. Ann Arbor, Michigan, University Microfilms International, 1988, pp. 44–56.

BEAUDUIN, N., *L'Offrande héroïque*. Neuilly–Paris, La Vie des Lettres, n.d. [1915].

CHARASSON, H., *Attente*. Nouvelle Librairie Nationale, 1919.

Robert, B., 'Henriette Charasson et Paul Claudel', in *Formes et Figures* (Cahiers canadiens Claudel 5), Ottawa, Éditions de l'Université d'Ottawa, 1967, pp. 137–72.

CHENNEVIÈRE, G., *Poèmes 1911–1918*. La Maison des Amis des Livres, 1920.

———————— *Le Cycle des fêtes*. Éditions du Sablier, 1940.

Goldberg, N. Sloan, *Discourse of Dissent*, pp. 87–107.

CLAUDEL, P., *Œuvre poétique*. Gallimard (coll. 'Pléiade'), 1967.

Villard, E., *La Poésie patriotique de l'arrière en France et la Guerre de 1914–1918*. La Chaux-de-Fonds, Coopératives Réunies, 1949, pp. 225–58.

COCTEAU, J., *Le Cap de Bonne-Espérance* suivi de *Discours du grand sommeil*. Gallimard (coll. 'Poésie',), 1967.

———————— *Thomas l'imposteur*. Gallimard (coll. 'Folio'), 1982.

———————— *Lettres à sa mère I, 1898–1918* (ed. P. Caizergues & P. Chanel). Gallimard, 1989.

———————— et NOAILLES, A. DE, *Correspondance 1911–1931* (ed. C. Mignot-Ogliastri). Gallimard (Cahiers Jean Cocteau 11), 1989.

Steegmuller, F., *Cocteau*. London, Macmillan, 1970.

DELARUE-MARDRUS, L., *Souffles de tempête*, Fasquelle, 1918.

———————— *Mes mémoires*. Gallimard, 1938.

GARNIER, N., *Le Don de ma Mère*. Flammarion, 1920.

———————— *Le Mort mis en croix*. Flammarion, 1926.

Goldberg, N. Sloan, *Discourse of Dissent*, pp. 133–40.

GRANIER, A.-P., *Les Coqs et les Vautours*. Jouve, 1917.

Higgins, I., 'Albert-Paul Granier' (with translations), in T. Cross (ed.), *The Lost Voices of World War I*, pp. 315–19.

JOUVE, P.J., *Danse des morts*. La Chaux-de-Fonds, Édition d'Action Sociale, 1918. (First edition Genève, Édition des Tablettes, 1917.)

————— *Heures, livre de la Grâce*. Genève, Kundig, 1920.

————— *Heures, livre de la Nuit*. Genève, Sablier, 1919.

————— *Poème contre le grand crime*. Genève, Édition de la revue «Demain», 1916.

————— *Vous êtes des hommes*. N.R.F., 1915.

Leuwers, D., *Jouve avant Jouve ou la naissance d'un poète*. Klincksieck, 1984.

LARREGUY DE CIVRIEUX, M. DE, *La Muse de sang*. Librairie du Travail, 1926.

Goldberg, N. Sloan, *Discourse of Dissent*, pp. 238–48.

Higgins, I., 'Marc de Larreguy de Civrieux' (with translations by Higgins and D.D.R. Owen), in T. Cross (ed.), *The Lost Voices of World War I*, pp. 217–20.

MARTEL, A., *Poèmes d'un poilu 1914–1915*. Reims, Matot, 1916.

MARTINET, M., *Hommes*. Châteauneuf sur Charente, Edmond Thomas, 1975 (reprint of *Les Humbles*, mai–juin 1938).

————— *Les Temps maudits* suivi de *la Nuit*. Union Générale d'Éditions, 1975.

Goldberg, N. Sloan, *Discourse of Dissent*, pp. 249–92.

Racine, N., Preface to *Les Temps maudits* (*op. cit.*), pp. 7–46.

NOAILLES, A. DE, *Les Forces éternelles*. Arthème Fayard, 1920.

[COCTEAU, J. et] NOAILLES, A. DE, *Correspondance* (*op. cit.*).

Broche, F., *Anna de Noailles. Un mystère en pleine lumière*. Laffont, 1989.

PÉRIN, C., *Les Captives*. Sansot, 1919.

PORCHÉ, F., *Le Poème de la délivrance* précédé des *Images de guerre*. Émile-Paul, Frères, 1919.

————— *Le Poème de la tranchée*. N.R.F., 1916.

ROMAINS, J., *Chants des dix années*. Gallimard, 1928.

Goldberg, N. Sloan, *Discourse of Dissent,* pp. 301–308.

ROSTAND, E., *Le Vol de la Marseillaise*. Fasquelle, 1919.

Villard, E., *La Poésie patriotique de l'arrière (op. cit.)*, pp. 157–60.

SAURET, H., *Les Forces détournées*. Librairie d'action d'art de la ghilde «Les Forgerons», 1918.

——————— *L'Amour à la Géhenne*. Société mutuelle d'édition, 1919.

Goldberg, N. Sloan, *Discourse of Dissent,* pp. 323–38.

SAUVAGE, M., *Quelques choses*. Édition de «La Veilleuse», 1919.

——————— *À soi-même accordé*. Denoël, 1938.

Goldberg, N. Sloan, *Discourse of Dissent,* pp. 339–46.

EDMOND ADAM

Coqs de combat

En rampant je sors de mon trou,
de ma tranchée noire, où la boue
nous enlise.
Je rampe en allongeant le cou
5   et sans oser lever la tête.
Mon sang bout, et bat mes tempes.
Je rampe
et mes hommes me suivent
en rampant
10   dans la boue,
et s'accrochent aux fils de fer
qui grincent et les écorchent
de leurs dents croches,
et leur baïonnette cliquette.

15   Tacatacatac... dzzitt! dzzitt!...
On se fait plat... Tacatac... dzitt!!...
On voudrait s'aplatir davantage.
«Ils nous ont vus... — Ils nous ont entendus!»
Pointu comme une baïonnette,
20   un frisson nous glace le dos...
Mon poing crispé serre mon revolver.
Et je relève un peu la tête.
Mon front est moite et mon corps sue.

Mais ils ne tirent plus.
25   Nous avançons péniblement,
en rampant... Chut!
Nom de Dieu, faites doucement!
Attention à vos baïonnettes.
Eh bien, là-bas, avancez donc!
30   Clac!... jjjhhvv...
Une fusée décrit sa trajectoire,
et vient s'épanouir en éblouissement
sur nos têtes prosternées.

Tacatac!... Ils ne nous voient pas,
35   mais: tacatacatacatac!... et: dzzitt! dzzitt! dzzitt!
Cochons de Boches!
Puis la nuit se refait, plus noire,
et nous gagnons un trou d'obus,
pour respirer un peu.

40 Ta koum!... Ta koum!...
    que c'est sinistre!
    Dzzitt! dzzitt!... Tacatac! tac!
    Mais nom de Dieu, cochon de Boche,
    vas-tu longtemps nous embêter
45 avec ta mitrailleuse?
    Je sais bien: tu nous vois ramper
    vers toi.
    Alors, à travers ton créneau,
    tu dégorges ta gueuse de mécanique.
50 Tu voudrais bien nous amocher...
    Si tu nous entendais hurler, Sauvage,
    comme tu gueulerais: «Komm, Fritz!
    Hör' die Franzosen singen!»
    Tacatacatac!... Tac!... Tac!...
55 Mais enfin que t'avons-nous fait?
    Nous sommes dans nos fils de fer,
    à nous;
    nous allons les couper, faire une brèche!
    Demain, quand nous serons chez toi,
60 pendant le coup de main,
    défends-toi, nom d'un chien,
    tire sur nous: mais pas ce soir!
    Laisse-nous préparer notre affaire.
    Tac!... dzzitt!... dzzitt!... dzzitt!...
65 Eh! tire donc après tout,
    sale brute!
    On t'a mis là pour ça. Tire, tire!
    Tu fais ton métier, nous le nôtre.
    Ta koum!
70 On s'en fout, va,
    tu peux tirer:
    tu tires au hasard, sans nous voir,
    dans le noir qui nous cache.
    C'est pour rien que ta gueuse crache.

75 Je ne t'en veux pas trop, tu sais.
    Voilà quatre ans que tu fais ce boulot
    derrière ton créneau...
    Ben, nous, voilà quatre ans aussi que l'on travaille
    à tricoter ces grandes mailles de réseaux,
80 et les couper, la veille des attaques,
    pour passer à travers et te chasser
    de tes tranchées.

Tu vois, on est voisins
d'atelier, presque copains.
85 On turbine pour deux maisons rivales.
Bah! peut-être qu'elles se valent;
on n'en sait rien!
Mon patron m'a dit que le tien
était une crapule, un gueux, une canaille,
90 un rien qui vaille, un assassin!
Mais ton patron
t'a peut-être dit ça du mien...

Bref, on se bat comme des chiens,
comme des coqs
95 dont les maîtres s'acharnent
à jouer l'un contre l'autre
une partie où ils s'enragent.
L'un, à la fin, sera ruiné;
l'autre ne sera pas plus riche.
100 Et leurs coqs se seront plumés,
déchirés et déchiquetés,
saignés, tués...

Tac! tac! tac! tac!...
Assez, mon vieux!
105 Tu es plus bête que ces coqs.
Dzzitt!... Dzzitt!...
Mais, malheureux, que tu es bête!
Tac! tac!... c'est révoltant, à la fin.
Mon maître a raison,
110 tu n'es qu'une brute.
Tu vas peut-être me tuer.
J'ai des enfants et une femme...
Tac! Mon vieux, je me vengerai.
Et je t'embrocherai, demain, devant ta mitrailleuse!
115 Et si tu as une femme,
tant pis pour elle,
et tant pis pour tes enfants!
Moi aussi, je suis une brute,
quand on me pousse à bout.

120 Et nous ferons comme ces coqs courageux
qui, une fois lancés l'un contre l'autre,
bravement, héroïquement,
combattent sans merci,
et crèvent tous les deux, le soir, de leurs blessures,
125 aux bravos de la galerie émerveillée

pour la gloire, mais pour la ruine aussi,
hélas!
de leurs maîtres impardonnables.

Supplique

À chief qui poinct n'entend de mon cœur triste peine

Ces jours que sommes en repos,
Qu'à la guerre, un temps, est accalmie,
Laisse-moi, chief, si t'en supplie,
Accourir par davant ma mie
5   Et lui conter guallanz propos.

Je fay serment, si m'en convies,
Ne lui rien dire de nos maulx,
Ne parler poignarts, ne bourreaulx;
Ains — feust même par menterie —
10 De nostre sort lui faire envie.

Lors, seichiant plours par tendres mots,
Diray adieu aux yeulx si beaulx,
Et reviendrai, l'âme guarie,
Pour long temps de mélancholie,
15 Deffendre ma doulce Patrie.

Las! peines et larmes à flots
Enflent mon cueur à l'agonie.
Par fer mourray ou par sanglots...
Ne fais, Chief, que je perde vie,
20 Las, sans avoir reveu ma mie!

Rondeau

À trop puissants et trop félons messires tant François que Germains
de nostre siècle qui, gardant cul mollement fourré en leur curule,
crachent sus nous moult belles et sophisticques parolles, ce
pendant que laissent périr povres et honestes compaignons, leurs
subjects, par maschines horrificques, infectes fumées et aultres
diabolicques inventions de novelle industrie.

Cil qui pourra mieulx que moi dire
De nostre eage grand martyre,
Laschetez de nostre raison,
Et plours en chascune maison,
5 Que desjà résonne sa lyre.

Lors, qu'il crye treshaut son ire
— Si n'est vaine ceste oraison —
Contre coulpables grands messires,
    Cil qui pourra.

10 Si n'a paour de pendaison,
    Géhenne ou aultre rançon,
    Qu'il donne à Diable, qui n'a pire,
    Toutes maschines à occire,
    Et die à chascun sa chanson,
15   Cil qui pourra.

Rondeau

Ou mien censeur, qui ès «Humbles» m'escarbouilla sans aulcune
raison trois meschants poemes, germains par le seul langaige.

    Ou mien censeur, ces humbles piés dédie,
    Qui tresdoulx mots que chantoye à m'amie,
    Sans grand raison durement a beschés,
    Pour seullement ce qu'ilz feurent leschés
5 En pur jargon de la gent ennemie.

    Eusse cuidé, si eussent trebuché,
    Que de ces piés feust la coulpe punie,
    Et pardonné lors de s'estre fasché
       Ou mien censeur!

10 Ains ne disoient haine ne vilenie;
    Amour chantoient, pudeur, cueur escorché,
    Et aultres fleurs en mon ame épanies.
    Or' si ces piés icy me veult faulcher,
    Les luy mettray où ne fault que je die,
15   Ou mien censeur!

GUILLAUME APOLLINAIRE

Fête

Feu d'artifice en acier
Qu'il est charmant cet éclairage
 Artifice d'artificier
4 Mêler quelque grâce au courage

Deux fusants
Rose éclatement
Comme deux seins que l'on dégrafe
8 Tendent leurs bouts insolemment
IL SUT AIMER
   quelle épitaphe

Un poète dans la forêt
Regarde avec indifférence
12 Son revolver au cran d'arrêt
Des roses mourir d'espérance

Il songe aux roses de Saadi
Et soudain sa tête se penche
16 Car une rose lui redit
La molle courbe d'une hanche

L'air est plein d'un terrible alcool
Filtré des étoiles mi-closes
20 Les obus caressent le mol
Parfum nocturne où tu reposes
  Mortification des roses

G. Apollinaire, *Calligrammes*, © Éditions GALLIMARD

Océan de terre

J'ai bâti une maison au milieu de l'Océan
Ses fenêtres sont les fleuves qui s'écoulent de mes yeux
Des poulpes grouillent partout où se tiennent les murailles
Entendez battre leur triple cœur et leur bec cogner aux vitres
5   Maison humide
   Maison ardente
   Saison rapide
   Saison qui chante
  Les avions pondent des œufs
10 Attention on va jeter l'ancre

Attention à l'encre que l'on jette
Il serait bon que vous vinssiez du ciel
Le chèvrefeuille du ciel grimpe
Les poulpes terrestres palpitent
15 Et puis nous sommes tant et tant à être nos propres fossoyeurs
Pâles poulpes des vagues crayeuses ô poulpes aux becs pâles
Autour de la maison il y a cet océan que tu connais
Et qui ne se repose jamais

G. Apollinaire, *Calligrammes*, © Éditions GALLIMARD

Merveille de la guerre

Que c'est beau ces fusées qui illuminent la nuit
Elles montent sur leur propre cime et se penchent pour regarder
Ce sont des dames qui dansent avec leurs regards pour yeux bras
et cœurs

J'ai reconnu ton sourire et ta vivacité
5 C'est aussi l'apothéose quotidienne de toutes mes Bérénices dont
les chevelures sont devenues des comètes
Ces danseuses surdorées appartiennent à tous les temps et à toutes
les races
Elles accouchent brusquement d'enfants qui n'ont que le temps de
mourir

Comme c'est beau toutes ces fusées
Mais ce serait bien plus beau s'il y en avait plus encore
10 S'il y en avait des millions qui auraient un sens complet et relatif
comme les lettres d'un livre
Pourtant c'est aussi beau que si la vie même sortait des mourants

Mais ce serait bien plus beau encore s'il y en avait plus encore
Cependant je les regarde comme une beauté qui s'offre et s'éva-
nouit aussitôt
Il me semble assister à un grand festin éclairé a giorno
15 C'est un banquet que s'offre la terre
Elle a faim et ouvre de longues bouches pâles
La terre a faim et voici son festin de Balthasar cannibale

Qui aurait dit qu'on pût être à ce point anthropophage
Et qu'il fallût tant de feu pour rôtir le corps humain
20 C'est pourquoi l'air a un petit goût empyreumatique qui n'est ma
foi pas désagréable
Mais le festin serait plus beau encore si le ciel y mangeait avec la
terre
Il n'avale que les âmes
Ce qui est une façon de ne pas se nourrir
Et se contente de jongler avec des feux versicolores

25 Mais j'ai coulé dans la douceur de cette guerre avec toute ma
      compagnie au long des longs boyaux
    Quelques cris de flamme annoncent sans cesse ma présence
    J'ai creusé le lit où je coule en me ramifiant en mille petits fleuves
      qui vont partout
    Je suis dans la tranchée de première ligne et cependant je suis
      partout ou plutôt je commence à être partout
    C'est moi qui commence cette chose des siècles à venir
30 Ce sera plus long à réaliser que non la fable d'Icare volant

    Je lègue à l'avenir l'histoire de Guillaume Apollinaire
    Qui fut à la guerre et sut être partout
    Dans les villes heureuses de l'arrière
    Dans tout le reste de l'univers
35 Dans ceux qui meurent en piétinant dans le barbelé
    Dans les femmes dans les canons dans les chevaux
    Au zénith au nadir aux 4 points cardinaux
    Et dans l'unique ardeur de cette veillée d'armes

    Et ce serait sans doute bien plus beau
40 Si je pouvais supposer que toutes ces choses dans lesquelles je suis
      partout
    Pouvaient m'occuper aussi
    Mais dans ce sens il n'y a rien de fait
    Car si je suis partout à cette heure il n'y a cependant que moi qui
      suis en moi

                    G. Apollinaire, *Calligrammes*, © Éditions GALLIMARD

                              Il y a

    Il y a un vaisseau qui a emporté ma bien-aimée
    Il y a dans le ciel six saucisses et la nuit venant on dirait des
      asticots qui naîtraient des étoiles
    Il y a un sous-marin ennemi qui en voulait à mon amour
    Il y a mille petits sapins brisés par les éclats d'obus autour de moi
 5 Il y a un fantassin qui passe aveuglé par les gaz asphyxiants
    Il y a que nous avons tout haché dans les boyaux de Nietzsche de
      Goethe et de Cologne
    Il y a que je languis après une lettre qui tarde
    Il y a dans mon porte-cartes plusieurs photos de mon amour
    Il y a les prisonniers qui passent la mine inquiète
10 Il y a une batterie dont les servants s'agitent autour des pièces
    Il y a le vaguemestre qui arrive au trot par le chemin de l'Arbre
      isolé
    Il y a dit-on un espion qui rôde par ici invisible comme l'horizon
      dont il s'est indignement revêtu et avec quoi il se confond
    Il y a dressé comme un lys le buste de mon amour

Il y a un capitaine qui attend avec anxiété les communications de
la T.S.F. sur l'Atlantique
15 Il y a à minuit des soldats qui scient des planches pour les
cercueils
Il y a des femmes qui demandent du maïs à grands cris devant un
Christ sanglant à Mexico
Il y a le Gulf Stream qui est si tiède et si bienfaisant
Il y a un cimetière plein de croix à 5 kilomètres
Il y a des croix partout de-ci de-là
20 Il y a des figues de Barbarie sur ces cactus en Algérie
Il y a les longues mains souples de mon amour
Il y a un encrier que j'avais fait dans une fusée de 15 centimètres
et qu'on n'a pas laissé partir
Il y a ma selle exposée à la pluie
Il y a les fleuves qui ne remontent pas leurs cours
25 Il y a l'amour qui m'entraîne avec douceur
Il y avait un prisonnier boche qui portait sa mitrailleuse sur son
dos
Il y a des hommes dans le monde qui n'ont jamais été à la guerre
Il y a des Hindous qui regardent avec étonnement les campagnes
occidentales
Ils pensent avec mélancolie à ceux dont ils se demandent s'ils les
reverront
30 Car on a poussé très loin durant cette guerre l'art de l'invisibilité

G. Apollinaire, *Calligrammes*, © Éditions GALLIMARD

Exercice

Vers un village de l'arrière
S'en allaient quatre bombardiers
Ils étaient couverts de poussière
4 Depuis la tête jusqu'aux pieds

Ils regardaient la vaste plaine
En parlant entre eux du passé
Et ne se retournaient qu'à peine
8 Quand un obus avait toussé

Tous quatre de la classe seize
Parlaient d'antan non d'avenir
Ainsi se prolongeait l'ascèse
12 Qui les exerçait à mourir

G. Apollinaire, *Calligrammes*, © Éditions GALLIMARD

2e canonnier conducteur

Me voici libre et fier parmi mes compagnons
Le Réveil a sonné et dans le petit jour je salue
La fameuse Nancéenne que je n'ai pas connue

```
        AS-
     TU  CON
   NU     LA QUI
  PU       TAIN    A FOUTU LA VXXXXX A TOUTE L'ARTILLERIE
  DE        N
   A        L'ARTILLERIE    ne              ..
     NCY                    s'est           au
                            pas             mal
                       aperçu qu'elle avait
```

Les 3 servants bras dessus bras dessous se sont endor-
    mis sur l'avant-train
Et conducteur par mont par val sur le porteur
Au pas au trot ou au galop je conduis le canon
Le bras de l'officier est mon étoile polaire
Il pleut mon manteau est trempé et je m'essuie parfois
    la figure
Avec la serviette-torchon qui est dans la sacoche du
sous-verge
Voici des fantassins aux pas pesants aux pieds boueux
La pluie les pique de ses aiguilles le sac les suit

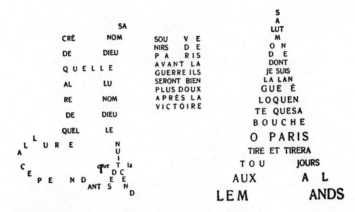

Fantassins
Marchantes mottes de terre
Vous êtes la puissance
Du sol qui vous a faits
Et c'est le sol qui va
Lorsque vous avancez
Un officier passe au galop
Comme un ange bleu dans la pluie grise
Un blessé chemine en fumant une pipe
Le lièvre détale et voici un ruisseau que j'aime
Et cette jeune femme nous salue charretiers
La Victoire se tient après nos jugulaires
Et calcule pour nos canons les mesures angulaires
Nos salves nos rafales sont ses cris de joie
Ses fleurs sont nos obus aux gerbes merveilleuses
Sa pensée se recueille aux tranchées glorieuses

J'ENTENDS CHAN
                 N
LEB   TER l'oiseau
             E
EL OISEAU RAPAC

G. Apollinaire, *Calligrammes*, © Éditions GALLIMARD

La colombe poignardée et le jet d'eau

G. Apollinaire, *Calligrammes*, © Éditions GALLIMARD

LOUIS ARAGON

Secousse

BROUF
                    Fuite à jamais de l'amertume
     Les prés magnifiques volants peints de frais
     tournent
5   champs qui chancellent
     Le point mort
     Ma tête tinte et tant de crécelles

     Mon cœur est en morceaux
                              le paysage en miettes

10   Hop l'Univers verse
     Qui chavire L'autre ou moi
     L'autre émoi La naissance à cette solitude
     Je donne un nom meilleur aux merveilles du jour
     J'invente à nouveau le vent tape-joue
15   le vent tapageur
     Le monde à bas je le bâtis plus beau
     Sept soleils de couleur griffent la campagne

     Au bout de mes cils tremble un prisme de larmes
     désormais Gouttes d'Eau

20   On lit au poteau du chemin vicinal
     ROUTE INTERDITE AUX TERRASSIERS

                    L. Aragon, *Feu de joie*, © Éditions GALLIMARD

     LES OMBRES SE MÊLAIENT et battaient la semelle
     Un convoi se formait en gare à Verberie
     Les plate-formes se chargeaient d'artillerie
4   On hissait les chevaux les sacs et les gamelles

     Il y avait un lieutenant roux et frisé
     Qui criait sans arrêt dans la nuit des ordures
     On s'énerve toujours quand la manœuvre dure
8   Et qu'au-dessus de vous éclatent les fusées

     On part Dieu sait pour où ça tient du mauvais rêve
     On glissera le long de la ligne de feu

Quelque part ça commence à n'être plus du jeu
12 Les bonshommes là-bas attendent la relève

Le train va s'en aller noir en direction
Du sud en traversant les campagnes désertes
Avec ses wagons de dormeurs la bouche ouverte
16 Et les songes épais des respirations.

Il tournera pour éviter la capitale
Au matin pâle On le mettra sur une voie
De garage Un convoi qui donne de la voix
20 Passe avec ses toits peints et ses croix d'hôpital

Et nous vers l'est à nouveau qui roulons Voyez
La cargaison de chair que notre marche entraîne
Vers le fade parfum qu'exhalent les gangrènes
24 Au long pourrissement des entonnoirs noyés

Tu n'en reviendras pas toi qui courais les filles
Jeune homme dont j'ai vu battre le cœur à nu
Quand j'ai déchiré ta chemise et toi non plus
28 Tu n'en reviendras pas vieux joueur de manille

Qu'un obus a coupé par le travers en deux
Pour une fois qu'il avait un jeu du tonnerre
Et toi le tatoué l'ancien Légionnaire
32 Tu survivras longtemps sans visage sans yeux

Roule au loin roule train des dernières lueurs
Les soldats assoupis que ta danse secoue
Laissent pencher leur front et fléchissent le cou
36 Cela sent le tabac la laine et la sueur

Comment vous regarder sans voir vos destinées
Fiancés de la terre et promis des douleurs
La veilleuse vous fait de la couleur des pleurs
40 Vous bougez vaguement vos jambes condamnées

Vous étirez vos bras vous retrouvez le jour
Arrêt brusque et quelqu'un crie Au jus là-dedans
Vous bâillez Vous avez une bouche et des dents
44 Et le caporal chante *Au pont de Minaucourt*

Déjà la pierre pense où votre nom s'inscrit
Déjà vous n'êtes plus qu'un mot d'or sur nos places
Déjà le souvenir de vos amours s'efface
48 Déjà vous n'êtes plus que pour avoir péri

L. Aragon, *Le Roman inachevé*, © Éditions GALLIMARD

DOMINOS D'OSSEMENTS que les jardiniers trient
Pelouses vertes à l'entour des sépultures
Sous les pierres d'Arras fils d'une autre patrie

Dont les noms sont tracés d'une grosse écriture
Blanc sur blanc les voilà nos hôtes désormais
6   Où la mort a fixé leur villégiature

La Manche pleure entre eux et ceux qui les aimaient
Mon oncle d'Angleterre est là dans cette foule
Entend-il comme nous le rossignol en mai

Lorette que l'odeur d'Afrique gorge et saoule
Cimetière en plein ciel pâle aux Sénégalais
12   L'oubli comme un burnous aux Marocains s'enroule

Les sables ont couvert les larmes et les plaies
Les lamentations ont cessé dans la brume
Il n'est pas de palmiers dans le Pas-de-Calais

Ces hauteurs d'un vin noir encore au matin fument
Le vent foule à leur toit les raisins vendangés
18   Et ses dansants pieds de leur sang se parfument

Demeurez dispersés dans nos champs saccagés
Vous gisants que des croix blanches perpétuèrent
Et vous à Douaumont engrangés et rangés

L'ordre est mis à jamais dans les grands ossuaires
Spectres de mon pays reposez reposez
24   Laissez sur vous tomber la dalle et le suaire

Ne faites plus chez nous ce bruit du cœur brisé
Ne revendiquez plus au foyer votre place
Et ne gémissez plus le soir à la croisée

N'arrêtez plus les enfants qui s'en vont en classe
Les pauvres survivants ont le droit d'être heureux
30   Ne les réveillez pas de vos bouches de glace.

Ne venez pas troubler le pas des amoureux
Laissez l'oiseau chanter laissez l'ombre être douce
Laissez les jeunes gens s'en aller deux par deux

Que la tombe s'apaise et se couvre de mousses
Que la terre mouillée en étouffe les bruits
36   Voyez l'herbe se lève et le taillis repousse

Les myrtes ont des fleurs les cyprès ont des fruits
Bonheur ô braconnier tends tes pièges de toile
Les cyprès ont des fruits qui démentent la nuit

Les myrtes ont des fleurs qui parlent des étoiles
Et c'est de mes douleurs qu'est fait le jour qui vient
42 Plus profonde est la mer et plus blanche est la voile

Et plus le mal amer plus merveilleux le bien

Je me souviens

L. Aragon, *Le Roman inachevé*, © Éditions GALLIMARD

OR NOUS REPASSIONS sur la Vesle
Après six semaines deux mois
À huit cents mètres de Couvrelles
Qui sont ces défunts que l'on voit
Fosses fraîches et croix nouvelles
6 Arrêtez un peu le convoi

Celui-ci je me le rappelle
Il jouait quand le ciel tonna
Pour nous dans le poste aux chandelles
Un petit air d'ocarina
La mort qui vint à tire-d'aile
12 Entre ses doigts le termina

Cet autre un enfant triste et frêle
S'agenouillait au bord des eaux
Quand son âme a joué la belle
Comme de sa cage un oiseau
Et le tampon du colonel
18 L'a ramassé dans les roseaux

Mais l'inscription que dit-elle
Je lis et je ne comprends plus
C'est pourtant mon nom que j'épelle
J'ai-t-il mal vu j'ai-t-il mal lu
Si c'est ma demeure mortelle
24 Qui dort au pied de ce talus

Le cœur muet les yeux au ciel
Depuis six semaines deux mois
Dans la terre au bord de la Vesle
À l'ombre d'une croix de bois
À huit cents mètres de Couvrelles
30 Quel est celui qu'on prend pour moi

L. Aragon, *Le Roman inachevé*, © Éditions GALLIMARD

RENÉ ARCOS

Les morts...

Le vent fait flotter
Du même côté
Les voiles des veuves

Et les pleurs mêlés
5 Des mille douleurs
Vont au même fleuve.

Serrés les uns contre les autres
Les morts sans haine et sans drapeau,
Cheveux plaqués de sang caillé,
10 Les morts sont tous d'un seul côté.

Dans l'argile unique où s'allie sans fin
Au monde qui meurt celui qui commence
Les morts fraternels, tempe contre tempe,
Expient aujourd'hui la même défaite.
15 Heurtez-vous, ô fils divisés!
Et déchirez l'Humanité
En vains lambeaux de territoires,
Les morts sont tous d'un seul côté;

Car sous la terre il n'y a plus
20 Qu'une patrie et qu'un espoir
Comme il n'y a pour l'Univers
Qu'un combat et qu'une victoire.

Ennemis

Folie des hommes, cruauté,
Bêtise drue et vieux mensonges
Repeints à neuf pour le tournoi,
Ennemis quotidiens, éternels, invincibles;
5 Frère dont la patrie n'était hier encore
Que ton plus beau rêve aux confins du monde,
Aujourd'hui même par la terre
En as-tu d'autres que ceux-là?

Sinon celui, et pire encore, qu'est pour toi
10   Ce corps heureux, toujours si prompt à s'endormir
Dans la sécurité moelleuse du péché,
Et qui retient au fond de lui, chargé de chaînes,
L'ange sans peur et sans reproche
Dont tu n'entends plus les appels.

Crise d'effectifs

Sifflement des rabots
Et grincement des scies,
Bref éclair des ciseaux
4   Et volée des marteaux...

L'équipe des trois cents sapeurs,
La pourpre de l'ardeur aux joues,
Une heure après l'aube est déjà
8   Dans les copeaux jusqu'aux genoux.

Mille croix pour la Champagne
Et mille pour le Laonnois,
Mille pour le Soissonnais
12   Et mille encore pour l'Artois.

Mille croix ouvrant leurs ailes
Effarées sur les charniers;
Mille croix ouvrant leurs ailes,
16   Comme des vols prisonniers.

Menuisiers, un coup de collier;
Avant que la prochaine aurore
Ait pavoisé le ciel de l'est,
20   Il nous faut d'autres croix encore
Pour en charger de grands vaisseaux
Qui s'en iront vers Salonique,
Vers le Bosphore et vers l'Afrique.

24   Plus vite les varlopes,
Plus vite les marteaux,
Voici que les commandes
Nous gagnent de vitesse.

28   Allons! un effort,
Il nous faut encore
Dix mille croix pour reboiser
La forêt nue comme une lande

32   Et deux millions pour en planter
Tout le pays déshérité
Qui va des Alpes à la Manche.

La tragédie des espaces

C'est une mare translucide
Dans le granit couleur de rouille;
Ce n'est qu'une parcelle à peine
De l'opulence océanique
5   Dans un trou de roche ainsi qu'une coupe...

Gamme des roux et des verts tendres,
Lait bleu des nacres, feux du quartz,
Lichens dorés, plantes vivantes
Dont les sensibles tentacules
10   Vont et se courbent mollement...

Tout ce que la mer mêlée de lumière
Peut de merveilles éphémères
Est rassemblé là dans ce creux de roche
Sous le ciel en fête et près de la grève
15   Solitaire comme au matin du monde.

C'est une mare translucide...

Mais c'est la guerre encor parmi
Le petit peuple qui l'habite;
La guerre acharnée, la guerre sauvage,
20   Avec ses ruses, ses alliances,
Ses trahisons, ses récompenses,
Et bien sûr aussi avec son courage.

C'est la guerre loin du canon des hommes
Mais près de la mer où depuis toujours,
25   Sous le bercement des vagues dansantes
Au rythme de la marée descendante,
Dure la lutte sans repos
Entre les mille clans des eaux.

C'est la guerre biologique
30   Au temps propice du soleil
Comme il y eut aux origines,
Dans les ténèbres, la mêlée
Qui fit le chaotique amas de ces rochers
Si semblables aux cathédrales écroulées!

LE DOUX Agneau ressuscite
Sous l'apparence du lion,
Disent les prêtres de l'amour...

Et la croix même est une masse
5 Qui tourne et siffle sur nos têtes.

Quelque part on ne sait pas où
Le Père dort son long sommeil
Et ne s'éveille aux cris du Fils
Que pour plonger ses mains oisives
10 Dans le bassin de Pilatus.

Printemps (1917)

Cependant à l'appel coutumier du soleil,
Au-dessus des hommes qui meurent,
Le printemps a lancé ses plantes à l'assaut.

Tout l'espace retentit
5 Du tumulte des oiseaux;
Des souffles heureux bousculent
L'océan luisant des feuilles;
Et les grands fleuves juvéniles
Bondissent en chantant à travers les frontières.

10 La chair jeune, prompte à l'oubli,
A senti tressaillir en elle,
Bouquets de cris et feux de joie,
L'appel antique de la sève.

Bien qu'une première fusée,
15 Trop hardie ou prématurée,
A mi-chemin ait éclaté
Pour retomber sur nos épaules
Avec la tristesse des saules,
Des poitrines dilatées
20 Un chant bientôt va monter.

O nature égoïste! O nature acharnée!
Qui poursuis, sans souci de la défaite humaine
Qu'un dur destin s'applique à consommer ailleurs,
Ta propre lutte à travers nous et malgré nous
25 Pour ta victoire et non la nôtre;

O conquérante impitoyable!
Sœur digne de celle qui porte
Un rapace sur son casque;

J'ai bien honte car je sens
30   Que tu vas pouvoir encore
À la faveur de la saison,
— Insolence de ton triomphe! —
Arracher le vieux hurrah
À cette chair lavée de larmes
35   Qui t'appartient plus qu'à moi-même.

NICOLAS BEAUDUIN

Action de grâces

Mère, tu as formé nos cerveaux et nos mains,
Nous sommes ton espoir, nous sommes ton ouvrage.
Tu as mis en nos cœurs la force et le courage
4   Et dans nos yeux la foi rayonnante en demain.

Tu nous as tous créés constants, nobles, prospères;
Le signe est sur nos fronts par lequel tu vaincras.
Nous avons hérité des vertus de nos pères
8   Et de la vigueur de leurs bras.

Bienheureux sont tes fils nés dans un sol de gloire,
Bienheureux sont tes fils nés sous un ciel pieux,
Bienheureux sont tes fils dont l'exploit des aïeux
12   Illumine l'histoire!

Bienheureux sont tes fils nés avec un cœur droit,
Indomptable et fidèle, épris des causes justes!
Bienheureux sont tes fils nés de ton sang robuste,
16   France de l'honneur et du droit!

Accorde-nous de nous montrer tels que nous sommes,
Accorde-nous de vivre et de mourir pour toi;
Et bienheureux tous les disciples de ta foi,
20   O nation fervente, ô nourrice des hommes!

Credo

Oui je crois fermement, ô France, que tu es
La sainte nation qui sauvera le monde.
Je crois en ta ferveur, je crois en tes bienfaits,
4   En ton œuvre féconde.

Et je crois que tu dois exister pour le bien
Et pour l'enseignement des peuples de la terre.
Je crois que tu es bonne et que ton cœur détient
8   La flamme salutaire.

Je crois en la beauté de tes pieux efforts,
En ta vie adorable, en ton vrai sens du juste,
O toi qui viens unir en un présent robuste
12   Les actes des vivants au legs sacré des morts.

Je crois en ta parole, en ton verbe qui dure,
En ton désir d'amour, en ton génie humain,
Aux bienfaits de ta douce et savante culture,
16   Fille du rêve grec et du geste romain.

Je crois en ton sang clair répandu sans mesure,
En tous les immolés sublimes de ta foi,
En tes héros fervents, en ton beau ciel qu'azure
20   Un espoir merveilleux d'un autre ciel. Je crois,

Je crois en toi dont la splendeur vivante grise;
Ton destin magnifique est parmi les plus grands,
Car c'est toi qui poursuis sans trêve et réalises
24   Les gestes de Dieu par les Francs.

ET LES PIEUSES voix des générations
Diront: Prions pour eux, les morts de l'an sublime!
Pour tous les soldats morts, les héros anonymes,
4   Sur la terre, à genoux, méditons et prions.

Car ils ont racheté le pays et le monde,
C'est grâce à eux que nous vivons encore ici;
C'est grâce à leur trépas que la plaine est féconde,
8   Oh! les chers morts de l'an héroïque, merci!

Soyez bénis par les enfants et par les mères,
Par les oiseaux du ciel et les oiseaux des bois!
Soyez bénis par les enclos et les chaumières,
12   Qu'autour de vous s'élève un hymne aux mille voix!

Héros, soyez bénis par les saisons propices,
Héros, soyez bénis des vierges aux yeux doux,
Que la France, ô héros, vous vénère à genoux,
16   Que tous vous prie, — et que le Seigneur vous bénisse!

Oraison

Voici l'instant suprême et l'heure de l'offrande
Et de notre holocauste offert pour le pays.
O ma France, c'est pour te vouloir libre et grande
4   Que notre sacrifice auguste est consenti.

À cette aube de sang dont la rougeur s'avive,
Donnez-nous le désir des souffrances, Seigneur!
Donnez-nous le pouvoir de vaincre la douleur
8   Et de mourir bientôt pour que les autres vivent.

Que nos vœux les plus chers se trouvent exaucés,
Que la foi mette en nous ses miracles sublimes,
Et que nous soyons tous les pieuses victimes
12   Par qui tous les péchés impurs sont effacés!

Offertoire

Je vous offre ces jours que vous m'avez donnés,
Je vous offre ma chair que vous avez nourrie,
Je vous offre mon âme ardente, ô ma Patrie,
4   Que mon sang te féconde, ô terre où je suis né!

Et puisse mon fervent et dernier sacrifice,
Puisse l'oblation sanglante de ce corps,
Être agréable à vous, Puissances protectrices,
8   Qui guidez les vivants et préservez les morts.

HENRIETTE CHARASSON

Peut-être que ce sera très long...

Peut-être que ce sera très long encore,
Mes sœurs, il faut attendre.
N'écoutez pas, la nuit, le silence où l'on croit entendre des gémissements,
C'est seulement le vent qui souffle et la pluie qui râle,
5   Ce n'est pas eux qui nous appellent, n'écoutons point les craintes de nos cœurs.
Mes sœurs, il faut attendre, puisque notre pays nous le demande,
Restons silencieusement au foyer.
Peut-être que notre bonheur importe peu en ce moment dans la grande balance humaine,
Serrons les dents sur notre douleur, et regardons osciller les plateaux...
10   Nous ne comptons pas dans l'avenir de la France.
O mon pays, prends mes larmes s'il te les faut,
Prends ceux que nous aimons, pile leurs chairs dans le mortier redoutable,
Laisse nos vies désolées jusqu'à l'heure de la mort,
C'est pour toi, notre France, pour toi qui es pour nous comme une personne vivante,
15   Pour toi qui vis vraiment, formée par les aspirations de nos cœurs.
Bientôt je ne serai plus, et mon malheur et mon bonheur, et mes désirs de joie, et toute l'ardente maladie de mon pauvre cœur dévoré,
Ce ne sera pas plus, dans le passé de ma France, qu'un de ces grains de sable sur lesquels roule, remonte et descend la lourde majesté de la mer transparente.
Mais cette conquête désespérée sur mon besoin de bonheur,
Mais ce chut irrité que je crie au pauvre égoïsme humain,
20   N'est-ce pas, mon pays, que ce n'est point inutile à l'âme de notre race?
D'autres femmes, restées au foyer, ont de guerre en guerre courbé la tête
En acceptant ce qu'il fallait pour que tu pusses rayonner sur les âges futurs.
O mon pays, ô toi qu'animent tous nos morts depuis tant de siècles,

O mon pays qu'ont arrosé et qu'arrosent encore chaque jour
25   Le plus pur de ton sang, la plus noble de ta jeunesse,
Frappe s'il le faut, nous pleurerons mais nous ne murmurerons pas.
La vie pourtant était belle dans ce bel été tout neuf,
Nous avions toute la vie et nous croyions pouvoir la pétrir à notre gré,
Nous oubliions trop le but mystérieux de nos existences,
30   Et que nous ne sommes pas uniquement sur la terre pour y chercher le bonheur.
Voici que du fossé où nous piétinions en y croyant courir,
Voici que tu nous as appelés, guerre, avec ta voix formidable et claironnante,
Et *ils* sont partis sur la route blanche, ils ont compris pourquoi Dieu les avait appelés justement en ces jours.
Et nous, nous sommes là, pauvres femmes, et nous attendons que la grande voix se taise,
35   Et c'est seulement par notre silence agenouillé que nous pouvons prouver à notre pays notre amour.
Peut-être que ce sera très long encore,
Mes sœurs, il faut attendre...
Ne brusquons pas le Destin, restons en prières,
Ne parlons pas trop fort auprès du pays qui saigne.
40   Si la plus humble de nous porte en son cœur une force subtile,
Si notre amour meurtri est un soldat de plus dans le mystère du combat,
Ah! dédions-nous au Pays et livrons-lui ce que nous avons de plus cher.
On ne prend pas les femmes sur les champs de bataille,
Nous n'avons que *cela* à donner:
45   Notre paix, notre amour, et cette enivrante certitude de n'être pas seules,
Et ce besoin d'être protégées, et, plus forte, plus douce que tout,
La joie maternelle de servir ceux qu'on aime...
Mais nous ne sommes rien dans toute la durée du Temps,
Et la France *est* pour toujours, plus belle de ce que nous serons belles!
50   Ne pleurons pas trop haut, ne parlons pas trop fort auprès du pays qui saigne,
Mes sœurs, il faut attendre:
Peut-être que ce sera très long encore.

Voix dans la nuit

La nuit est si noire, derrière le carreau devant lequel luit ma lampe allumée,
Que je ne sais plus par moments si le jour brillera de nouveau.
Je songe à vous qui êtes morts, soldats poètes dont je serrais les mains avec insouciance
Parce que dans les jardins parés on ne s'attarde pas longtemps à contempler les mêmes fleurs.
5 Et voici que je songe à vous qui êtes morts, et qui étiez venus de toutes les provinces de France
Pour reposer éternellement dans la même ligne de tombeaux.
Il y a vous, et vous que je connaissais bien, et vous qui m'étiez plus lointains, et vous dont je savais seulement le nom et des poèmes...
Toute la flamme qui fut en vous a été soufflée, d'un seul coup, d'une seule rafale,
Et c'est fini pour vous du rire et des larmes des vivants.
10 Est-ce qu'on rit encore, est-ce qu'on pleure sous la terre?
Et pleure-t-il avec vous, celui dont je scrute le silence?
Nous attendons, et j'entends sa voix qui m'est chère, et je crois distinguer d'hésitantes paroles.
Mais je ne sais point reconnaître si c'est bien lui qui parle, et si sa voix est celle que mon âme percevait naguère à travers la distance,
Ou la voix étrange, assourdie, de ceux qui jamais plus ne seront nos semblables.
15 Ma gorge se serre, mes yeux se voilent, et je prête toujours l'oreille à toutes ces voix de mystère...
Je songe à vous qui êtes morts, soldats poètes dont je serrais les mains avec insouciance.

À Cam

Ce n'est qu'à certaines minutes que je comprends enfin, mon frère, que tu es mort.
Pour moi, tu es parti depuis des mois, et je crois seulement que ton absence se prolonge,
Et je vis comme si j'étais sûre qu'ils te gardent là-bas dans leurs noires forêts,
Mais je crois que tu reviendras quand sonnera l'heure de la grande victoire,
5 Et je t'attends, sans voiles sombres, obstinée doucement devant les yeux amis pleins de pitié.

Et l'on s'étonne de mon courage, mais où est mon courage puisque je crois toujours que tu me reviendras?

Puisque je crois que tu reparaîtras un jour sous ce même porche de vieilles tuiles, dans ce même costume bleu clair que tu avais le soir de ton dernier départ?

Ensemble nous étions sortis dans le petit sentier qui traverse les calmes prairies,

Et tu me tenais par l'épaule, de ton geste habituel, doux et protecteur,

10   Et nous marchions de la même cadence, unis dans la nuit qui tombait.

Et c'est peut-être ce soir-là que nous avons senti plus fort encore la force de notre tendresse.

Tu es parti en souriant et tu nous as dit : au revoir!

Comment croirais-je que tu ne reviendras plus, puisque jamais tu n'as manqué pour moi à tes promesses?

Ce serait la première fois que tu m'aurais trompée...

15   Et de quel usage serait mon amour, et quelle pauvre force serait donc la sienne

Si je ne parvenais à te faire revenir d'entre ces morts parmi lesquels ils croient que tu es couché!

Nul m'a donné la preuve que tu n'es plus de ce monde,

Et je ne puis m'en rapporter à leurs aveux incertains.

Et je t'attends, car il faut bien que, dans la nuit, une femme entretienne la veilleuse

20   Pour que le malade ne se croie pas seul et pour que l'âme ne se détache pas du corps.

Peut-être, si tu vis encore, peut-être que tu devines la petite flamme immobile

Par delà les pays ravagés qu'on a mis entre nous?

Dors, mon silencieux, repose-toi, et ne crains pas que la lampe s'éteigne,

Il me semble que je t'attendrai toujours, mois après mois, toute ma vie,

25   Avec des cheveux blancs j'espérerai encore que tu vas reparaître.

Ce n'est qu'à certaines minutes que je puis comprendre, parfois, que tu es mort.

GEORGES CHENNEVIÈRE

L'étranger

Je reviens du pays de la souffrance rouge
  Et de la reine mort.
Je ne l'ai point quitté, puisqu'il me suit toujours
4 Et m'attend à la porte.

Je ne suis plus d'ici. Je suis un étranger
  Qui ne s'arrête pas;
Un hôte qui regarde l'heure et qui s'apprête
8 À repartir là-bas.

Ne m'interrogez pas. Vous savez que les mots
  Se résoudraient en larmes,
Et que je les retiens dans mon cœur où remue
12 Un secret que je garde.

Rien ne semble changé, puisque mes yeux retrouvent
  Chaque chose à sa place,
Et que je reconnais, au bout de tant de jours,
16 La forme de chaque arbre.

Mais ce brin d'herbe étrange entre des pierres nues
  Suffit à détruire mon songe,
En m'évoquant partout une absence qui dure,
20 Et le passage où nous vivons.

  Étranger, ne te rendors pas,
  Ce n'est pas encore le retour.
  Ne t'attache pas à ces choses,
24 Ne demeure pas devant elles.
  Ne laisse pas les souvenirs
  Monter en eau à tes paupières.

  Cette fleur, ne la cueille point,
  Ne prolonge pas ce baiser,
28 Ne garde rien entre tes mains.
  Ne fais rien qui puisse durer.
  Ton cœur se viderait d'un coup.
32 Vite, vite, il faut repartir.

Je repars, sans être venu.
Est-ce l'adieu définitif?
Le monde glisse sous mes pas.
36   Je sens que je n'aurais pas dû
Hélas! regarder si longtemps
Tous ces visages.

De profundis (extracts)

Du fond des trous, qui sentaient l'urine et la boue,
Où la lueur qui vient de l'âme était si frêle
Qu'elle semblait s'éteindre en passant les prunelles;
Du fond des trous, où chaque jour, comme un paveur,
5   Enfonçait plus avant nos têtes dans le sol;
Du fond des trous, où nous couchions avec la mort
Près d'un gouffre béant qu'elle a presque repu,
Notre cri de détresse est monté jusqu'à vous,
Mais vous mangiez de notre gloire à pleine bouche,
10   Et vous n'avez pas répondu.

[. . .]

Vieillards jaloux, bourreaux tremblants et sans merci,
O vous, qui vous vengiez de votre âge sur nous,
Qui, redoutant la mort et courbés devant elle,
Lui montriez du doigt des victimes plus belles;
15   Pitres de la tribune, et baladins d'état,
Rhéteurs quotidiens, et princes du mensonge,
Monarques et tribuns, qui faisiez la parade,
Embouchant les clairons et frappant les cymbales,
Pour honorer la mort ou pour couvrir la plainte
20   Des martyrs condamnés à vous servir d'estrade;
Avocats sans pudeur des causes les plus saintes,
Que suffit à nier votre seule présence;
Acteurs et figurants, qui traîniez sur la scène
La liberté, la foi et la justice humaines,
25   À qui votre cynisme extorquait nos arrêts;
Filles de luxe, qui chantiez la Marseillaise
Dans un drapeau qui vous tenait lieu de chemise;
Fanfarons, qui preniez votre image ou votre ombre
Pour ce que vous nommiez le Droit ou la Patrie;
30   Patriotes bouillants pour fêtes et cortèges,
Qui gardiez la revanche et nous laissiez les armes,
Trop jeunes pour Sedan, et trop vieux pour la Marne;
Soudards, à qui le sang faisait des galons neufs;
Commerçants, trafiquants, marchands et fournisseurs,

35   Gavés et confiants, sans reproche et sans peur,
     Qui tâtiez votre poche en parlant de victoire;
     Scribes, fiers d'ajuster votre guerre à l'histoire,
     Et de la barbouiller aux couleurs convenues;
     Chantres de la bataille, et faiseurs de héros,
40   Bardes de panoplies et de bibliothèques,
     Prophètes, qu'essoufflaient vos quintes de grands mots;
     Pacifiques bourgeois, qui maudissiez la guerre,
     Quand un canon lointain troublait votre sommeil,
     Ou qu'elle vous privait de sucre et de gâteaux;
45   Rentiers, boursiers, banquiers, larrons de la finance,
     Qui placiez votre argent entre la France et Dieu,
     Au rang sanctifié des causes à défendre;
     Voleurs sans risques, à l'affût des maisons vides,
     Parasites vautrés aux tables des absents,
50   Louches pillards, guetteurs d'épaves, détrousseurs,
     Enhardis de n'avoir ni juges, ni rivaux,
     Voyous, fêtards, coureurs de salons et de filles,
     Souverains des trottoirs et des cabinets clos,
     Qui, pendant qu'on mourait, n'avez eu d'autre peine
55   Que celle de fermer et d'ouvrir vos rideaux,
     Et qui tiriez encor du carnage lointain
     Et de ce grand danger que vous n'affrontiez point
     Le luxe d'un frisson propice à vos débauches;
     Vous tous enfin, essaims aux lèvres de la plaie,
60   Mouches au vol léger qui, du bruit de vos ailes,
     Rappeliez aux mourants tout ce qu'ils allaient perdre;
     Vous tous, auteurs du crime, ou l'ayant laissé faire,
     O gens de peu de foi, qui n'avez jamais su,
     Devant tant d'innocents restés sans défenseurs,
65   Que répéter le geste du Procurateur:
     Je ne vous en veux pas d'avoir été des lâches,
     Indignes de la haine autant que du pardon,
     Ni de vous être tus, quand vous pouviez parler,
     Mais bien d'avoir parlé quand il fallait vous taire;
70   D'avoir, sur ceux auxquels vous deviez le silence,
     Jeté vos oraisons et vos condoléances,
     Qui les assassinaient une seconde fois;
     Je vous en veux d'avoir alimenté le mal
     De charité bavarde et dosée avec soin,
75   Et d'avoir étouffé les plaintes sous des palmes;
     Je vous en veux à tous d'avoir joué des rôles,
     Flétri, en y portant vos lèvres et vos mains,
     La vérité en fleur à la pointe des mots;
     D'avoir si bien fardé, travesti, déguisé
80   La joie et la douleur, l'amour et la souffrance,
     Que personne à présent ne les reconnaît plus,

Et que l'humanité, orpheline et sans guide,
Tâtonne dans la nuit où vous l'avez perdue;
Je vous en veux à tous de n'être pas restés
85   Francs dans votre forfait et devant vos victimes,
Et d'avoir pu souiller de votre parodie
Un monde que le sang suffisait à salir;
Je vous en veux sans haine, et selon la justice,
Et vous parle aujourd'hui, parce que c'est mon tour
90   De faire entendre, au nom de ceux qui se sont tus,
Cette voix qui m'anime et qui leur a survécu;
Je vous parle, sans rien attendre de vous tous,
Car je sais bien, hélas! que vos yeux n'ont pas vu,
Je sais bien que vos mains, vos doigts n'ont pas touché,
95   Qu'il vous fallait, pour croire, un autre témoignage
Que des mots trop tardifs, ou des cris trop lointains;
Je sais que le temps est passé de vous convaincre,
Puisqu'on a nettoyé la place, et que l'Enfer
A déjà refermé la gueule sur sa proie;
100 Je le sais, mais il faut qu'on écoute ma voix,
Et s'il est vrai que votre chair n'a pas souffert,
S'il est vrai que nul de vos nerfs n'a tressailli,
Du moins que cette voix vous morde et vous poursuive,
Et vous harcèle sans répit, sans pitié,
105 Et vous talonne, et vous harasse, et vous conduise,
Haletants d'un tourment qui vous fasse crier
Comme ceux-là naguère auxquels vous fûtes sourds,
Jusqu'au vaste désert que la guerre a laissé,
Jusqu'au désert où rien n'est vivant, où les routes,
110 Hagardes et sans bords, ne mènent nulle part;
Où les champs sont plantés de ruines et d'os,
Où la plaine est muette, aveugle, sans oiseaux;
Où l'herbe qui repousse évoque le carnage
Par son hérissement métallique et barbare;
115 Où la lutte et le meurtre ont l'air éternisés;
Où la mort, désœuvrée, crie en baissant la tête;
Où vous pourrez, rouvrant soudainement les yeux,
Et ne doutant, cette fois-ci, que de vous-mêmes,
Contempler à plaisir la grande œuvre de haine,
120 Mettre vos doigts, enfin, dans le trou de la plaie,
Et découvrir, par les fissures du sol mince,
Qui ne peut pas encor consentir au mensonge,
Le charnier, qui contient la jeunesse d'un monde!

PAUL CLAUDEL

Tant que vous voudrez, mon général!

Dix fois qu'on attaque là-dedans, «avec résultat purement local».
Il faut y aller une fois de plus? Tant que vous voudrez, mon général!

Une cigarette d'abord. Un coup de vin, qu'il est bon! Allons, mon vieux, à la tienne!
4   Y en a trop sur leurs jambes encore dans le trois cent soixante-dix-septième.

À la tienne, vieux frère! Qu'est-ce que tu étais dans le civil, en ce temps drôle où c'qu'on était vivants?
Coiffeur? Moi, mon père est banquier et je crois bien qu'il s'appelait Legrand.

Boucher, marchand de fromages, curé, cultivateur, avocat, colporteur, coupeur de cuir,
8   Y a de tout dans la tranchée et ceux d'en face, ils vont voir ce qu'il en va sortir!

Tous frères comme des enfants tout nus, tous pareils comme des pommes.
C'est dans le civil qu'on était différents, dans le rang il n'y a plus que *des hommes*!

Plus de père ni de mère, plus d'âge, plus que le grade et que le numéro,
12   Plus rien que le camarade qui sait ce qu'il a à faire avec moi, pas plus tard et pas trop tôt.

Plus rien derrière moi que le deuxième échelon, avec moi que le travail à faire,
Plus rien devant moi que ma livraison à opérer dans l'assourdissement et le tonnerre!

Livraison de mon corps et de mon sang, livraison de mon âme à Dieu,
16   Livraison aux messieurs d'en face de cette chose dans ma main qui est pour eux!

(Tant qu'il y aura quelqu'un dans ma peau, tant qu'il y aura un
cran à faire à sa ceinture,
Tant qu'il y aura le type en face qui me regarde dans la
figure!)

Si la bombe fait de l'ouvrage, qu'est-ce que c'est qu'une âme
humaine qui va sauter!
20   La baïonnette? cette espèce de langue de fer qui me tire est
plus droite et plus altérée!

Y a de tout dans la tranchée, attention au chef quand il va lever
son fusil!
Et ce qui va sortir, c'est la France, terrible comme le Saint-
Esprit!

Tant qu'il y aura ceux d'en face pour tenir ce qui est à nous
sous la semelle de leurs bottes,
24   Tant qu'il y aura cette injustice, tant qu'il y aura cette force
contre la justice qui est la plus forte,

Tant qu'il y aura quelqu'un qui n'accepte pas, tant qu'il y aura
cette face vers la justice qui appelle,
Tant qu'il y aura un Français avec un éclat de rire pour croire
dans les choses éternelles,

Tant qu'il y aura son avenir à plaquer sur la table, tant qu'il y
aura sa vie à donner,
28   Sa vie et celle de tous les siens à donner, ma femme et mes
petits enfants avec moi pour les donner,

Tant que pour arrêter un homme vivant il n'y aura que le feu et
que le fer,
Tant qu'il y aura de la viande vivante de Français pour
marcher à travers vos sacrés fils de fer,

Tant qu'il y aura un enfant de femme pour marcher à travers
votre science et votre chimie,
32   Tant que l'honneur de la France avec nous luit plus clair que le
soleil en plein midi,

Tant qu'il y aura ce grand pays derrière nous qui écoute et qui
prie et qui fait silence,
Tant que notre vocation éternelle sera de vous marcher sur la
panse,

Tant que vous voudrez, jusqu'à la gauche! tant qu'il y en aura
un seul! Tant qu'il y en aura un de vivant, les vivants et les morts
tous à la fois!
36   Tant que vous voudrez, mon général! O France, tant que tu
voudras!

P. Claudel, *Œuvres poétiques*, © Éditions GALLIMARD

Le précieux sang

Le Prêtre après qu'il a consommé le pain reçoit la substance de
Jésus-Christ
     Sous une espèce liquide,
Le corps concomitant au sang, Dieu au corps par le Verbe
réuni
     Tient dans ce calice qu'il vide,
5   Le Verbe dans le calice d'or qui dit à l'Ineffable ce qu'Il est,
     Le sang qui est la Parole éternelle,
Dieu qui est dans la bouche de sa créature, dans ce cœur où il
se complaît,
     Cette gorgée de vin réel!
Ce sang qu'il a reçu de Marie et la chaleur de son propre cœur,
10   Ce sang qui lui fut commun avec elle,
Nous est à notre tour infus dans le soleil illuminateur
     De l'ivresse sacramentelle!
O trait plus pénétrant que l'esprit, plus prompt de toutes parts
que le feu,
     O coupe de l'intelligence,
15   Ouvre enfin dans ce cœur scellé, dans cette chair qui me sert
de peu,
     La source de la pénitence!
La grande éruption de la soif, le déchirement du désir in-
assouvi,
     Le mal de celui qui Vous aime,
L'appel et l'indignation de celui qui au-delà de la mort et de la
vie
20   Préfère un autre à lui-même!
Heureux qui dans le désert de la Croix et le sommeil du
Paradis
     Partage la mort du Seigneur
Et qui goûte et possède enfin par le fait de Dieu qui s'y est
adjoint
     L'absolu de la douleur!
25   Ce que nous élevons entre nos mains, ce n'est pas seulement le
calice d'or,
     C'est tout le sacrifice du Calvaire!

Ce que le Seigneur a remis entre nos mains, ce n'est pas seulement le mémoire de sa mort,
    C'est sa personne tout entière!
La Rédemption tout entière vers nous comme un vase qui
s'incline,
30   Les Cinq Fleuves du Paradis,
Toute l'inondation sur nous de la préférence divine,
    Nos lèvres à l'autre Vie!

Seigneur, qui pour un verre d'eau nous avez promis la mer
illimitée,
    Qui sait si vous n'avez pas soif aussi?
35   Et que ce sang qui est tout ce que nous avons soit propre à
vous désaltérer,
    C'est vrai puisque vous nous l'avez dit!
Si vraiment il y a une source en nous, eh bien, c'est ce que
nous allons voir!
    Et si ce vin a quelque vertu,
    Et si notre sang est rouge, comme vous le dites, comment le
savoir,
40   Autrement que quand il est répandu?
Si notre sang est vraiment *précieux* comme vous le dites, si
vraiment il est comme de l'or,
    S'il sert, pourquoi le garder?
Oublieux de tout ce qu'on peut acheter avec, pourquoi le ré-
server comme un trésor,
    Mon Dieu, quand vous nous le demandez?
· 45   Nos péchés sont grands, nous le savons, et qu'il faut abso-
lument faire pénitence,
    Mais il est difficile pour un homme de pleurer:
Voici notre sang au lieu de larmes que nous avons répandu
pour la France:
    Faites-en ce que vous voudrez!
Prenez-le, nous vous le donnons, tirez-en vous-même usage et
bénéfice,
50   Nous ne vous faisons point de demande.
Mais si vous avez besoin de notre amour autant que nous
avons besoin de votre Justice,
    Alors c'est que votre soif est grande!

P. Claudel, *Œuvres poétiques*, © Éditions GALLIMARD

JEAN COCTEAU

Roland Garros

Qui s'arrachait un peu
de la terre

Le jeune homme déjà de marbre
face à la mer

Christophe Colomb marin à quatorze ans

Fréjus dix minutes d'arrêt   olives
5   azur d'affiche

Il naquit sur Vidal Lablache

Pastèque froide en neige rose

Le nègre aimait tellement la famille
il récitait un compliment le soir de Noël

10   On pêche des poissons à la crête des vagues
ils y dorment les gros poissons

La chasse aux colibris avec un bambou
frotté de glu
               Jules Verne

15   L'arbre septicolor gazouille
nous en rapportâmes des grappes

Bagages   Cabine de luxe

Femmes créoles
roulant les cigares sur leur cuisse moite

20   Le premier jour les marins achetèrent
des cacatoès des singes aux fesses bleues
des pamplemousses

À dîner on parle du pôle

Ma Paloma

25   Le camarade pirate
                    cor de Roland
                    cor de Tristan

     chasse
     les Walkyries

30   Le jet alternatif des balles déjoue
     l'astre d'air et de bois
     asperge   un fantôme derviche

                    Mon cher Jean,
     J'ai tué un Taube. Quel cauchemar! Je n'oublierai jamais
35   *leur chute. Ils ont pris feu à mille mètres. J'ai vu leurs*
     corps saignants, terribles. Une balle m'a traversé le lon-
     geron d'une aile...

     Le héros
     véritable
40   ayant nui
     s'apitoie

     Qu'il fera bon   se promenant
                    après l'orage

     Notre projet (tu te souviens)

45   Survoler bas
     les jungles profondes

     Un murmure métropole

     Les cacatoès entonnent
     le charivari des couleurs

50   Le musc des boas pâmés   monte

     Toute la Virginie s'éveille.

            J. Cocteau, *Le Cap de Bonne-Espérance*, © Éditions GALLIMARD

     LA CAVE EST BASSE, on y arrive
     Comme dans un bar d'hôtel.
     Les piliers de fonte soutiennent
     un matelas de couches d'air
5   et de ciment.
     L'acétylène sent l'ail.

Carbousse sent l'acétylène.
À force de lire l'almanach
Hachette il peut répondre à tout.
10   Atout trèfle!
Usine atroce de soupirs,
noyés roulés dans un naufrage
de couvertures.

Brousset grince des dents en dormant.
15   C'est le bruit d'un fauteuil d'osier;
le jour il ne peut plus le faire.
Auguste organise des battues de rats
au revolver d'ordonnance.

Que j'ai sommeil, parmi ces lutteurs
20   bâillonnés de polypes; du rêve
plein la bouche ils étouffent.

Ma planche et ma paille. Mon sac
se boutonne sur l'épaule.
Je fais la planche.
25   Lavabo.

Je dors. Je ne peux pas dormir.
Le sommeil s'arrête au bord, je ne
respire pas pour qu'il entre.
Il hésite le gros oiseau.

30   Ils dorment tous. Je l'apprivoise.
Ils se sont tous remplis comme un bateau fait eau.
Et soudain, flotte à la dérive,
cette épave de couvertures,
de genoux, de coudes.

35   Un pied sur mon épaule.
Le major souffle aussi. Plic, plic,
ploc, plic; le lavabo.
Où allons-nous? les obus tombent
sur l'Hôtel de Ville. On habite
40   sous leur bocage.

La fusillade tape
des coups de trique secs sur
des planches.
Je voudrais tant dormir.
45   La manille aux enchères
n'arrange pas les choses.

Faudra-t-il... Bon, le téléphone.
Allô! allô! VACHE CREVÉE?

Tout de suite. On y va. Je monte.

50   Combien la guerre met-elle de temps
        à manger une ville? Elle mange
        salement, grignote et garde
        un détail pour le dessert.
        Ainsi, parfois, l'incendie respecte
55   un rideau de mousseline.

        Je traverse le cimetière
        des Fusiliers Marins. C'est un brick
        d'opium, sans capitaine, à la dérive.
        Le mât, les vergues n'existent plus.
60   Il reste la moitié de l'arbre.
        L'équipage a tout fumé; il dort.

        Le pont est garni avec ce qu'on trouve à Nieuport:
        des chenêts, des boutons de porte, des candélabres,
        des cales de piano, des briques,
65   des dessus de cheminée en marbre;
        des Sainte-Vierge, des globes
        de pendule, des bagues.

        Cette nuit, dans les ruines, j'ai entendu
        le travail du rossignol.

70   Qui donc brait, tousse, glousse,
        grogne et croasse dans l'arbre
        endormi debout au chloroforme?

        C'est le rossignol. Il prépare
        son chant d'amour;
75   et je sens ici, là, non: là,
        cette odeur! mais c'est elle!!
        C'est la rose!!!

        Voilà deux ans que je n'ai pas senti de roses.

        Le rosier, viril en boutons,
80   bientôt féminin, concentre
        un explosif d'odeur
        qui tue les papillons crédules.

        Prépuces frisés de la rose
        indécente dans la chaleur
85   jadis. Ici je vois,
        je vois une rose rouge.

        Je vois une rose froide.
        Comment l'a-t-on laissée venir là?

Plus farouche que l'hyène,
90   le corbeau et le vautour;
car, s'ils empruntent leur lustre noir
aux morts sans paix
non ensevelis de la plaine,
elle,
95   métamorphose en grâce
hypocrite, une funèbre
gourmandise de tombeaux
où paît sa jolie bouche
profonde.

J. Cocteau, *Discours du Grand Sommeil*, © Éditions GALLIMARD

Tour du secteur calme (extract)

[. . .]

Capitaine! mon capitaine!
nous allons arriver. Quelle route!
Ces trous d'obus. Le brancard
défonce la paroi en mesure. Impossible
5   de l'attacher. Mon capitaine!

J'ai sa main qui sue, son bracelet-montre.
Pitié. Achevez-moi. Prenez mon revolver.
Soyez charitable. On arrive,
mon capitaine, on approche.
10   On ne voit rien au dehors. Sa balle
est dans le ventre. *Ma femme*
Ma femme, il faut...
Taisez-vous, ne me parlez pas.
Vous parlerez à l'ambulance.

15   Sortons d'abord de ce chemin
où les marmites...
Pouf! Quatre. Sa pâleur
éclaire; on voit ses mains,
sa moustache qui tremblent.

20   Calmez-vous, mon capitaine,
on approche. *Où sommes-nous?*
À Goenendick. *Encore!*
Je ne pourrai jamais.
Il vaut mieux m'achever.

25   Calmez-vous, mon capitaine.
À boire. Il ne faut pas boire.
Il saute! Ha, je me
couche sur ses jambes

pour qu'il ne saute pas dans cet enfer
30   de ferraille, de bois, de vaisselle.

Gabin! ralentissez. Gabin!
Gabin! Je tape. Il n'entend pas.
Qui pourrait-on entendre?

Cet endroit du boyau «Caporal Mabillard» est traître
35   on y est vu en biais.
Voilà déjà cinq victimes.
Bon Dieu, quel choc! il ne dit rien.
Il râle, il s'accroche à ma veste.

Mon capitaine, accrochez-vous.
40   Cet homme enfant et ces enfants
qui sont des hommes.
On ne sait plus quoi dire.

Je voudrais le sauver, le tuer.
Ma femme. Taisez-vous.
45   *À boire.* Taisez-vous.
C'est pour votre bien. Il faut guérir.
Je vous emmène à l'hôpital
dans un lit frais, avec des femmes,
votre femme. *Oh! quel choc.*
50   *Je n'en peux plus. Je n'en*
peux plus. J'ai soif. Les yeux finissent
par voir clair dans le noir: ses jumelles,
ses bottes, 57, l'uniforme
arraché par Rodrigue au poste.
55   Sa fiche. Son étui à cartes.

Calmez-vous. Si j'avais de
la morphine. Là, là, là.
Ici la route est meilleure.
Gabin a dû prendre à gauche.
60   C'est un détour, mais c'est meilleur.

Son casque roule aux quatre coins
comme une grosse coquille de moule.
J'ai la migraine, la nuit
étroite empeste. Il doit avoir
65   la vessie perforée.

Il se calme.
Il se calme. Il se
calme.
Il est mort.

[. . .]

J. Cocteau, *Discours du Grand Sommeil*, © Éditions GALLIMARD

Délivrance des âmes

Au segment de l'Éclusette
On meurt à merveille.
On allait prendre l'air dehors;
On fumait sa pipe; on est mort.

5   C'est simple. Ainsi, dans les rêves,
On voit une personne en devenir une autre,
Sans le moindre étonnement.

La mort saute, lourde écuyère,
Qui vous traverse comme un cerceau.
10   Car ici les balles perdues
Sont oiselets d'un arbrisseau
En fil de fer.

Ce bocage barbelé
Endort mieux que vos pommes bleues,
15   Vergers du chloroforme.

L'oiseau qui change de cage,
Jamais sa plainte n'informe.
Car l'oiseau dont le chant tue
Traverse un autre chemin.

20   La mort fait une statue
Sans regard et d'ombre ailée,
Refroidie en un tour de main.

Comme le nez du lièvre bouge
Bouge la vie, et, tout à coup,
25   Ne bouge plus. Un sang rouge
Coule du nez sur le cou.

L'Éclusette est un bon endroit
Pour s'embusquer de guerre lasse.
On n'y manque jamais le tour
30   Qui met l'endroit à l'envers.

Ce tour on a beau le connaître,
Il est tellement réussi
Qu'on n'y voit que du feu.

Ennemi, tu es un habile
35   Escamoteur. Ton revolver,
Vous délivre, colombes.

J. Cocteau, *Discours du Grand Sommeil*, © Éditions GALLIMARD

LUCIE DELARUE-MARDRUS

Aux gas normands

Les beaux bœufs, la belle haie
Et la mer au bout du pré,
Et le ruisseau qui s'égaie
4   Des couleurs du ciel miré,

La ferme grasse et fleurie
Où tout est si bien rangé,
C'est tout cela, la patrie,
8   Oui, la patrie en danger!

Sois-tu maître ou gas de ferme,
Lève-toi, paysan! Cours!
D'un cœur haut et d'un bras ferme,
12   Il faut sauver tes labours.

Par la mer, l'air et la terre,
L'ennemi peut survenir.
Entends tes chevaux hennir.
16   Il faut partir pour la guerre.

Qu'ils dardent leur froid œil bleu,
Tous les gas de Normandie,
Et que leur troupe hardie
20   S'en aille gaiement au feu.

Va-t-en batailler, ma race,
Et prends le plus court chemin.
On retrouvera ta trace
24   Dans l'Histoire de demain.

Laisse tout pour la patrie!
Tes biens, tu t'en dessaisis,
Mais les fleurs de ta prairie
28   Sont aux canons des fusils.

Va! Tout soldat est poète
S'il court se battre en chantant.
Et la guerre est une fête
32   Pour qui part d'un cœur content.

C'est la grande tragédie.
Mets-y tout ce que tu sais.
Lève-toi, ma Normandie,
36 Pour sauver le sol français!

Les gardiens

Il faut qu'à l'heure où se déchaîne
Le grand ouragan masculin,
Quelqu'un, à l'écart de la haine,
4   Continue à filer le lin.

La maison sera-t-elle vide
Parce qu'on meurt à l'horizon?
Face à la grande guerre avide,
8   Nous, nous soignerons la maison.

Aux jours de deuil, aux jours de fête,
Que chacun veille sur les siens.
Veillez, inventeurs et poètes,
12 Artistes et musiciens.

Quand la frontière saigne et crie,
C'est pour le sol que l'on se bat.
Mais, à l'heure du grand débat,
16 Vous êtes aussi la Patrie.

Lorsque nos soldats triomphants
Reviendront, nous, foule subtile,
Leur présentant science, art, style,
20 Nous dirons: «Voici vos enfants!»

Nocturne à Paris

D'une douceur de velours noir
Malgré la force de la pierre,
C'est notre grand Louvre de guerre
Debout sur Paris sans lumière
5   Où meurent les pourpres du soir.

Nous savons tout ce qui nous pèse,
Les affres de ce grand moment,
Pourtant, que passionnément
Nous l'aimons, actuellement,
10 Ce Paris du temps de Louis treize!

La nuit a repris sa couleur,
Sa forme que plus rien n'encombre.
Éteintes, les lunes sans nombre!
Les passants se perdent dans l'ombre,
15   Et la Seine est toute pâleur.

Après ces silhouettes noires,
Cette Seine et ce Louvre-là,
Que tout sera brillant et plat,
Un jour, dans l'insolent éclat
20   Où se fêteront nos victoires!

Régiments

Tous ces garçons qui sont partis,
Tous ces soldats dressés dans l'horreur de la guerre,
Ils ont été des tout petits
4   Emmaillotés au chaud dans les bras d'une mère.

Orgueilleux et casqués de fer,
Ils s'en vont vers le bruit de la foudre qu'on lance,
Laissant derrière eux l'autre enfer,
8   Pauvre enfer féminin des pleurs et du silence.

— Vous avez porté vos enfants,
Mères! au plus profond de votre chair intime.
Alors, vaincus ou triomphants,
12   Vous croyez, quand ils sont tués, que c'est un crime.

Moi, voyant défiler ces gas,
J'évoque avec stupeur leur naissance et ses drames,
Et je songe, et je dis tout bas:
16   «Toutes ces têtes d'homme ont fait mal à des femmes.»

Clair de lune

C'est l'immobile clair de lune
Qui fait des spectres dans le pré.
Avec des torpeurs de lagune
4   Brille l'estuaire diapré.

Je m'en vais, lente et romanesque.
Mes servantes sont là, dehors.
Leur groupe compose une fresque
8   De vivants blancs comme des morts.

Pour la lune j'ai laissé l'âtre
Où danse le plus beau des feux.
Doucement un mot monstrueux:
12   — Cette nuit ils vont bien se battre...

Poésie et douceur de nuit,
O mystère, ô salut des âmes,
Voici ce que des voix de femmes
16   Disent sous la lune qui luit!

Clair de lune, et toi, chère automne,
Double et miraculeux trésor,
Goutte d'argent parmi de l'or,
20   Que ma France en feu me pardonne,

Mais, dans ma grande passion
De cette heureuse nuit si claire,
J'ai, dans mon cœur, dit à la guerre:
24   «Scandale et profanation!»

Toussaint

Calamité publique au sein
De la campagne monotone
En proie aux flammes de l'automne,
4   Le glas sonne et le canon tonne,

Dies irae de la Toussaint,
Le glas sonne et le canon tonne,
Mais plus rien en nous ne s'étonne,
8   Car nous connaissons le tocsin.

Nous avons vécu tous les drames.
Nous sentons, tout autour de nous,
Voler, dans le vent triste et doux,
12   Des feuilles mortes et des âmes.

Certes, le canon gronde encor
Quand la voix des cloches s'est tue.
— Pendant que nous fêtons la mort,
16   Là-bas on en tue, on en tue...

Veillée d'armes

La pendule remplit du petit bruit du temps
La chambre recueillie et faite pour le rêve
Où, cette nuit, j'attends; où, muette, j'attends
4   Que la mêlée immense à l'horizon s'achève.

Nous allons donc veiller, solitaire bercail!
Voici, témoins discrets de mes calmes chapitres,
Papiers, livres, musique et lampe de travail.
8   — Mais il y a l'enfer au delà de mes vitres.

Le violon est là, les tomes aux beaux noms,
Les pinceaux... Est-ce un front de femme qui se penche
Sur les cordes, la toile ou sur les pages blanches,
12   Ou bien un combattant qui pense à ses canons?

Charges, bombardements, incendie et tuerie
Grondent dans tous les plis de mes simples rideaux.
Et, parce que je veille en redressant le dos,
16   Je crois que ma ferveur va sauver ma patrie.

Avec ma poésie au cœur, ce n'est que moi,
Mais je sens, mais je veux, mais j'espère, mais j'aime,
Et peut-être que, face à la grande Peur blême,
20   Je rachète, ce soir, des paniques sans foi.

Militaire et civile et terrestre et marine,
En moi, toute ma race, impétueusement,
Se bat. Je sens, en proie au furieux tourment,
24   La France qui palpite ici, dans ma poitrine.

Je veux vaincre!... Oh! le cri des femmes dans la nuit!
Là-bas on nous les tue... Oh! ce sang! Oh! ces larmes!
Ma pendule tragique, avec son petit bruit,
28   N'est-ce pas qu'elle dit le succès de nos armes?

Paris se tait. Silence. Amour. Courage. Élans.
Ce soir, quelle sirène, avec d'horribles râles,
Va nous crier soudain que les monstres volants
32   Reviennent attaquer de nuit nos cathédrales?

Non. Ce soir est celui d'esprits comme le mien.
Nous sommes en prière au fond d'une chapelle.
Nous sentons, jusqu'àu sang resserrant son lien,
36   La patrie en danger qui nous attache à elle.

NOËL GARNIER

Il pleut encore...

«Comme nous ressemblons aux morts, dans la lumière
du petit jour qui pleut interminablement...
Il a tant plu hier, avant-hier, et tant
plu tous les jours, toutes les nuits, toute la Guerre!
5   Comme nous ressemblons aux morts dans leur misère.»

— «Il faisait soleil...» — Quand? Je ne m'en souviens plus,
c'était l'année avant... ou l'autre année peut-être?
Vous avez bien dit «hier»? Il n'a jamais tant plu!
ou bien alors je ne sais plus... je ne sais plus:
10   je n'avais pas de lettre.

Que vous êtes heureux d'avoir une maman:
il fait toujours beau temps dans les lettres des mères
et quand vous répondez, il fait toujours beau temps:
elles auraient tant de chagrin, les pauvres chères,
15   si vous ne leur disiez toujours: «Il fait beau temps.

Non, je n'ai pas eu froid — et déjà sur nos têtes
une hirondelle passe avec un petit cri...
Ce sera le printemps demain — et aujourd'hui
je te le dis, déjà ce n'est plus l'hiver bête
20   et méchant de te faire peur, maman chérie!»

Qu'il est doux de mentir ainsi à ceux qu'on aime
avec des mots de tous les jours, qui sont les seuls
que l'on comprenne bien, qui sont toujours les mêmes
et qui ne perdent pas à voyager, tout seuls,
25   l'inflexion d'amour des lèvres qui les sèment.

Des villes sautent

La dent des pioches mord la terre millénaire.
Je ne vois plus ton front, soldat agenouillé.
Ton bras, comme un destin aveugle, dans la pierre
4   sape le dur passé où l'Amour se rouillait...

Tu peux verser la poudre où se tapit l'orage
au-dessus de ton front, Cyclope noir, brandir
l'œil de la torche — En vain! Je sais que ton visage
8   au feu jailli de toi ne saurait resplendir...

Jésus portait sa croix comme une flamme haute,
le diamant des crachats luisait dans ses cheveux.
Il mourait pour un Dieu — Sus-tu jamais, Ilote,
12   pour quel rachat tu crucifies tes jours heureux.

Écoute: — mais plutôt bois encor: le sang coule
comme d'un ciel ivre sur le monde inondé.
Bois: J'attends que ta chair et ton âme soient saoûles
16   et que tu sois vainqueur des torses débondés.

L'es-tu déjà? — Non — Bois aux ventres, bois aux bouches,
fais d'un crâne d'enfant une coupe et bois-y
les sangs mêlés d'un vieux et d'une femme en couches:
20   quelles lèvres jamais burent telle ambroisie?

Jésus buvait le lait maternel de l'Ânesse
et le blanc évangile en est tout parfumé —
Madeleine essuyait sa bouche de ses tresses
24   et du geste d'amour les siècles s'embaumaient...

Bois! et chante ta soif pour t'altérer encore:
la guerre est l'outre pleine où les dieux ont jeté
la haine intarissable — Emplis-en ton amphore:
28   un buste féminin de ton couteau sculpté!

Déjà l'amphore tremble et ta marche est plus lente,
ton œil louche trébuche aux parois de ton nez:
elle est sœur du soldat l'Ivresse aux mains sanglantes,
32   Antigone vieillie dont le voile a traîné

dans les rues de la Ville, au bras des hommes rouges,
au fond des quartiers morts où les bordels déserts
étalent au soleil leurs plaies, comme les gouges
36   jadis, devant la porte, un sexe large ouvert!

Bois! et si tu m'entends n'arrête pas le geste
de porter à ta bouche, dégouttant de pus
— absinthe d'autrefois, mais plus lourde, plus verte —
40   ce moignon où s'endort l'essaim des vers repus...

Quelqu'un tendait l'éponge au Juif humanitaire:
elle s'adoucissait sur sa lèvre d'amour
et la goutte de fiel qui tombait sur la terre
44 fondait, comme en été, la liqueur des fruits lourds...

Quelle religion naîtra de ton martyre,
comme un grain que le vent arrache du sillon
pour le jeter aux flots des fleuves en délire,
48 l'hiver, noyant l'espoir des prochaines moissons?

Ta moisson serait vaine et ta mort inutile,
esclave qui tombas mille fois en chemin
lorsque les incendies déployaient sur la Ville
52 — sans que grincât ta haine et que s'armât ta main —

les rouges étendards des révoltes civiques?

La veillée

Les feuilles mortes ont cogné aux carreaux,
ne leur ouvrez pas la fenêtre:
le vent du soir avec son manteau
mouillé voudrait entrer peut-être.
5 Il entrerait — Il s'assiérait
sur l'escabeau, les mains gelées;
la pluie fondrait dans la potée
et sous la niche du foyer
les yeux du feu le fixeraient —
10 Il n'aime pas, le chien de flammes,
les pauvres hommes du chemin
      avec leurs mains
sur leurs genoux, avec leur âme
dans leur regard, honteusement,
15 comme s'il n'y avait en elle
que de la peur — on ne sait quelle —
ou du remords, peureusement...
      Il aboierait!

Pourtant il sait le vieux mendiant
20 bien des histoires des grand'routes
et dans son sac de mauvais temps
il les emporte, avec les croûtes
de pain, moisies dans les ruisseaux —
Il sait la pluie — il sait les eaux
25 du fleuve lent — lourdes de haine
      et débordant...

il sait la neige, il sait le gel
          des nuits sereines
— Ah! s'il entrait! — Il sait le ciel
30   le vent qui traîne
toute la peine de la terre!
Ah! s'il entrait, gens de repos
au coin du feu, qui fait le gros
dos à vos pieds, couché par terre...
35   Ah! s'il entrait le vieux-misère...

«Hardi! Valets — Qu'il n'entre pas —
Il sent la mort et le soldat...
          Il dit qu'il a
bercé le fils dans la nuit rouge
40   et recouvert son agonie
de feuilles mortes... Ah! qu'il bouge!
ce vieux mendiant, ce sans-patrie!
Prenez les fourches et les pioches:
          qu'il approche!
45   Voleur des nuits et mauvais œil,
ce trouble-fête de nos deuils!»

Il est parti — la soupe est chaude:
          Servez les gaudes
et donnez au feu sa pâtée
50   de bûches riches en clarté!

                Nostalgie de la guerre

J'ai pris ta bouche et tes seins droits
D'un même baiser sacrilège.
Ma peine a fondu sous tes doigts
4   Comme, au soleil levant, la neige.

J'ai horreur de ce vide en moi,
J'ai trahi mes morts encore une fois.

Ah! courber sous mille linceuls
8   Comme autrefois mon front en deuil,

Ne pas avoir d'autre pâture
Que le sang de mille blessures,

Saigner, saigner, saigner autant
12 Que mes soldats, en d'autres temps,

Lorsque la guerre insatiable
Emplissait ma bouche de sable,

Comme au fond d'un trou sans espoir
16 Un mort mâchant l'éternel soir.

Consentement

«Si tu ne dis mot
Du moins consens-tu,
Maître qui t'es tu,
4   Fantôme sans os?

Je ne ferai rien
Qui te contrarie
Indulgent ami
8   Mon tendre soutien.

Mais il a ma foi
Jusques au trépas...
Ne m'en veuille pas...
12 Et console-moi.

Si tu m'aimais tant
Comme il eût fallu
Hâte-toi, l'Élu
16 Pour la vie m'attend.

J'ai porté ton deuil
Douze mois bientôt
Et sur ton tombeau
20 Les roses s'effeuillent.
    ...

Ah! je savais bien
Que ce serait 'oui'
Cœur épanoui,
24 Mort élyséen.»
    ...

— Mon chéri, je viens!

ALBERT-PAUL GRANIER

Les mortiers

Cahin-caha, brinqueballant
des seaux de fer et des chaînes pesantes,
la caravane lourd-tonnante
traîne, sur la grand'route ardente,
5   dans un fracas tonitruant.

Tendus d'effort, les chevaux las
hochent la tête, d'un air de doute,
comme s'ils songeaient que jamais
ils ne termineraient la route...

10   Les roues larges, comme des meules,
meulent le sol qui crépite.
Et les gens étonnés des villes et des villages
contemplent, au coin des rues et des chemins,
le cortège pesant de la mort qui voyage,
15   les affûts accroupis, bandés, velus d'écrous,
et, muets et noirs, menaçants et sauvages,
sur leur chariot à quatre attelages,
les canons muselés, liés comme des fous.

Musique

La neige duvetait l'espace comme un songe...

Au carrefour, la fontaine était figée...

Et, alors que je passais
près de la source immobile,
5   glissèrent sur mon âme blanche,
fluides dans la neige papillonnante,
des accords légers et délicats,
comme des échos d'harmonica,
des accords aériens,
10   comme des murmures de séraphins
comme des violes miraculeuses d'anges.

Au coin du carrefour, dans une grange,
un homme
appuyait doucement sa joue au violon
15   et caressait les cordes chantantes
des crins tendus de l'archet blanc.

C'était une musique merveilleuse,
délicieusement svelte et gracieuse,
avec des doubles cordes et des arpèges,
20   et qui s'évaporait, parmi la neige,
— la neige blanche et moite —
en un miroitement de moire en arc-en-ciel:
La musique m'emmitouflait de songerie,
m'auréolait de sortilège,
25   m'épanouissait dans l'irréel,
comme si je voyais quelque fée
qui, avec de belles mains de neige,
aurait jonglé avec des perles,
des cristaux et des pierreries,
30   ou comme si quelqu'un avait capturé
un poisson fabuleux, mordoré de nacre,
dont les écailles chatoyantes
et irisées comme des prismes
se fussent éparpillées, impondérables,
35   en éclaboussement diamantaire...

Le canon, là-bas,
a défoncé le soir profond
avec un bruit de cataclysme,
comme si des cyclones
40   avaient heurté en route des typhons...

La neige, lente et persuasive,
apaisa de douceur dormante
le bondissement dur des échos affolés,

et la musique merveilleuse
45   reprit son frêle échafaudement de reflets,
sa trame d'impalpable vertige,
comme une fontaine lumineuse,
si fragile, sur le cristal mobile de sa tige...

Et je demeurai là, sous la neige silencieuse,
50   comme un enfant
qui écoute un conte de Noël.

Le ballon

Le ballon gris descend sur l'horizon des bois,
le ballon descend, comme un astre néfaste
qui a fini sa parabole courbe,
et qui s'enlise dans la mer.

5   Le ballon gris, chargé de regards fourbes,
plonge insensiblement dans la forêt.

Et les bouleaux blancs qui m'abritent
— pauvres tiges sacrifiées en pleine force —
les bouleaux nés sur le sol de France,
10 liés et jetés là comme des fagots
avec des chênes et des charmes,
les bouleaux blancs hérissent leur légère écorce,
comme des chiens qui sont en colère...

L'incendie

Un obus est tombé dans la grange,
avec un fracas formidable,
comme l'écroulement de séculaires espérances,

et le feu a surgi de l'obus, comme un diable
5   hors de sa boîte minuscule.

Par la grand'porte à claire-voie,
je vois le feu sourdre sournoisement
dans la paille et le foin des récoltes dernières,
puis, avec des murmures de joie,
10 danser en flammèches claires
une sarabande légère...

Le feu sait que tout est pour lui dans la maison,
aussi explore-t-il pas à pas son nouveau domaine,
grimpe aux poutres et aux chevrons,
15 puis se laisse glisser du haut des tas de foin
comme font les enfants pendant la fenaison.

Le feu gambade et siffle de joie,
ondule, flue, et se déploie,
et casse les vitres des fenêtres
20 pour regarder un peu dehors:
Le feu veloute de cramoisi

les vieilles poutres vermoulues,
crève les sacs dont le blé ruisselle
en cascade d'or et de rubis,
25   et pousse à travers les tuiles du toit
en chevelure escarbouclée;

Le feu regarde par la haute claire-voie
de la porte, et caresse les barreaux de bois
qu'il enlumine d'écarlate.
30   Le feu s'en donne à cœur joie;
nul ne vient plus troubler ses jeux
et l'agacer de la pointe des jets,
sous lesquels il rageait
comme un fauve sous la cravache.
35   Le feu danse à grands cris dans la grange embrasée.

Puis, quand il s'est lassé
de cascader par les étages,
— cambrioleur tranquille — il escalade
le toit oblique dont il casse les tuiles,
40   et, comme un enfant coléreux,
à qui, soudain, son jeu
devient hostile,
casse la porte qui se désarticule,
défonce le toit qui s'engloutit,
45   et saute sur la maison voisine:

Curieusement, par les lucarnes
il regarde et passe ses longs bras en tentacules,
et, tout à coup, a le désir aigu
d'y fureter et d'y jouer encore,
50   et d'y danser à perdre haleine,
comme un ivrogne dans un cabaret...

Le feu, beau comme un beau monstre,
que nul ne peut caresser,
tourne et tourne dans le village,
55   comme un tigre dans sa cage...

Nocturne

Les canons se sont tus, bâillonnés de brouillard
dans la nuit d'hiver qui abolit l'espace,
et un calme, plein de menace
comme un cri de hibou sur des remparts,
5   flotte au cœur multiple du silence.

Les sentinelles, à l'affût,
tendent leurs muscles dans l'attente
énervante de l'inconnu.

Avec un bruit de linge humide,
10   quelques fusils, dans la vallée,
à coups sourds claquent soudain,
incertains d'ombres devinées
et de frôlements dans le vide...

Et l'on dirait, ce soir,
15   comme dans les nuits légendaires
de Bretagne, que d'infernales lavandières,
agenouillées au bord d'invisibles lavoirs,
dans le fleuve épais battent des suaires...

L'attaque

«Allons, derrière l'épaulement,
vous autres, qu'est-ce que vous faites là?»

«— Mon capitaine, mon capitaine,
c'est le printemps qui arrive:
5   les oiseaux courent dans les branches,
— mais les oiseaux de cette année
sont rapides et invisibles,
et vrombissent comme des ailes d'abeille!»

«Mon capitaine, mon capitaine
10   pourquoi ne vous abritez-vous pas?»

«Quelle tintamarre!
                    Ah! les salauds!
ils ont crevé ma gourde qui était pleine!»
«Et leur gaz donne tant soif!»
«Tant pis! Je mangerai de la neige,
15   celle qui restera blanche entre les trous
et qui ne sera pas empoisonnée...»

L'acier pioche la terre blanche
et la retourne à coups de fumée;
la terre fuse en artifices dans les branches,
20   et retombe, toute noire, sur la neige
avec des racines gesticulantes.

Les soirs d'orage dans la ville,
avec de larges gouttes d'eau sur les marquises,
de larges gouttes d'eau sonore,
25 les soirs de tempête sur la mer,
les lames hautes sur les falaises
sont ce soir de haine en acier,
ce soir farouche comme un cauchemar.

L'acier grince dans l'air qui bout,
30 et le cannelle comme une colonne sonore
dont l'éclatement est le chapiteau:
L'acier ne cesse pas son piochement féroce
et les éclats forcenés
hérissent la chair des arbres.

35 L'air est grenu d'explosions,
puis lissé du vol frais des obus autrichiens
qui est comme une caresse musicale,
une caresse de fifre et de hautbois
qu'accompagne en pizzicato de contrebasse
40 le tir lointain des gros mortiers:
le soixante-quinze trompette, et les cent vingt
rythment l'orchestre de leurs timbales.

«Bim! Bem! — mon capitaine,
nous n'allons pas en mesure,
45 Bim! Bem! la danse s'aiguise:
qui donc danse sur ce thème?
La Mort?»

«Bim! Bem! timbalier fou,
ne frappe pas si fort tes peaux,
50 timbalier, tu joues très faux!
Accorde-toi un peu, tourne tes clefs!
Voici le *la* que le tonnerre va te donner!»

«Bim! Bem! — le timbalier est fou!»

«Quoi? nous sommes toujours isolés
55 car aucun coureur n'est rentré,
et nul ne sait ce qui se passe là
où jacassent des mitrailleuses?»

«Bon. Au revoir, mon capitaine.»
«Tu veux venir avec moi, toi, petit?
60 — c'est bien, merci.
                    Alors; en route!»

«Bim! Bem! quelle belle symphonie
— c'est de Dukas ou de d'Indy?»
«Mais, décidément, l'orchestre est fou:
Personne ne va en mesure
65   et la timbale n'est pas d'accord!»

«Bim! Bem! l'orchestre est fou!
c'est la Mort qui tient la baguette.»

Le feu

Le feu, dans la cheminée,
fait le bruit souple et flou
des oriflammes
et des pennons bleus des processions,
5   sur les quais des ports de pêche
quand on va bénir la mer.

Le feu, très doux,
fait craquer les branches sèches,
et les fait s'affaisser avec un bruit soyeux
10   de jupe que l'on froisse ou de pas dans la neige.

Les flammes,
attachées aux sarments,
se tendent vers la lumière
— comme des âmes —
15   vers la lumière si lointaine
en haut de la cheminée,
et s'effilent vers la clarté
comme des algues dans le courant...

PIERRE JEAN JOUVE

Pour mon immense amour

Pour mon immense amour
Qui devant nul héroïsme, devant nul raison d'État,
Devant nul témoignage de méchanceté humaine,
Devant nulle des vérités puissamment éveillées par la guerre,
5 Ne se déclare vaincu,
Pour mon immense amour, je ne veux
Qu'un droit de figurer entre beaucoup d'autres immensités.
Je suis ici l'amant solitaire
D'une vie de paix, — en pleine profondeur de la vie de guerre,—
10 D'une vie où les rapports seraient composés de paix,
De félicité, d'entente préalable,
De sympathie pour la même Œuvre dont le but n'est point connu,
Mais qui veut notre force entière, et jusqu'à notre mort;
(Point besoin de traité pour une telle paix,
15 Nous serons d'accord à pied d'œuvre,
Comme nous nous accordons sur un beau ciel, sur un brin
    d'herbe).

Et l'âme emplie d'un tel avenir, — songeant à peine au présent,
J'attends l'avènement d'un Amour inaltérable.

Fourmilières

C'est ici.

La terre est de lèpre et de fer.
Les ornières noyées luisent comme des rails.
La pluie perpétuelle est vautrée sur la plaine.
5 Le vent mord.
Sous ces renflements mous,
Les boyaux et les fosses
Serpentent, se creusent, fuient,
Méandres calculés
10 Dans la glu infinie hérissée de ferraille.

Sans fin, à ras du sol,
Charnier.

Là, sous leurs monstrueux enduits de boue et de tristesse,
Sous leurs matelas bigarrés qui les défendent
15 Contre le gel, contre l'eau ruisselante et les ruées d'air,
Là marchent, mangent, dorment,
Là plaisantent, font leur ordure,
Des hommes,
À l'infini, des fourmilières d'hommes,
20 Pesamment, sans répit, jusqu'à l'horizon d'éclatements,
Des hommes.

Ils attendent.
Ils se grattent, mangés de bêtes.
Ils ne pensent pas; ils ignorent.
25 Ils endurent.

Et l'obus féroce, hululant,
Qui tombe ici ou là,
Fait jaillir en gerbe rouge, ici ou là,
Un lot de corps.
30 Et perpétuellement, ils avancent, s'arrêtent,
S'immobilisent,
Dans l'inconnu des jours blafards, des nuits acides,
Dans l'attente.

Les terrains sont gorgés d'humanité morte.
35 Le cadavre est le fruit du sol.
Sa vaste odeur, sur l'étendue des plaines, s'avance.
Et chacun sait dans son cœur
Qu'il est cadavre
De l'avenir.

40 Hier, demain, — à l'heure dite,
Les hurlements, les trombes,
Les cieux rougis et noirs,
Les déchirements universels qui broient les plaines,
La flamme, air et terre;
45 On leur dit de sortir, ils sortent.
Ils éclatent, fondent, vivent,
Ils empalent la chair et l'égorgent,
Ils sont possédés de la bestialité panique,
Sur les ruisseaux de sang, les gloussements de cris,
50 Et c'est fini.

Derrière eux,
La terre est un recueillement puant de nouveaux morts;
Et leur attente,
Debout, couchés, vautrés,
55 Recommence.

Le tank

Ma machine marsienne,
Une tour sur deux mâchoires,
Avec son crâne de fer
Où vit le calcul humain,
5 Crachant par les côtés, au centre et en dessous,
Les shrapnells, les obus, les nappes de balles qui dévorent,
Marchant
Sur terre, sur hommes, vivants, mourants, morts,
Refermant les tranchées sous son cahot
10 Comme on presse les deux lèvres d'une plaie,
La bête blindée
Rampant dans l'éclatement de la bataille,
Échappant même à ceux-là qui la mènent;
— Au dedans,
15 Les héros,
Matelassés jusqu'aux yeux, jetés sur les parois, cassés aux angles,
Tirant, tuant, de dix côtés,
Brûlés par la chaleur torride des moteurs,
Assourdis par le vacarme des détonations dans le fer,
20 Vivant leur dernier jour.

Voici l'enfant de leur cerveau-dieu,
Voici la clarté de leur orgueilleux monde.

L'HOMME qui serait mort demain
Ne mourra plus aujourd'hui.
Il écoute battre son cœur
Dans l'immensité de sa chair,
5 Et les millions de soleils bleus
Que peut contenir une nuit
Ne sont pas trop pour son espoir.

Il ne se souvient presque plus
D'avoir jamais tué un homme,
10 Lui, pouvait-il être tué?
Il hume toute la nuit.

CE QU'EST un homme grand,
Je le dirai ce soir
Dans le feu du silence,
4   En plein cœur de la foi.

Il est comme la mer,
Il a les vasques tièdes
Et l'abîme sans yeux
8   Où court une idée sombre.

Il contient les saisons,
L'hiver des grandes lames,
Le printemps des goélands,
12   L'été pur.

Il porte la jeunesse,
De soleil en soleil,
Vers le fond de la mort
16   Qui est encor la mer.

Il sait que s'entredévorent
Par une loi ivre ces eaux,
Mais il sait la paix infinie
20   Que tient la goutte d'eau.

Et la mer n'est jamais
Qu'un morceau de la mer
Qui brille au ciel de Dieu
24   Sur de gluants combats.

ET SI TU tardais, qui sait
Si je ne pourrais pas, moi,
Franchissant l'atroce barrière,
Me faire tomber en arrière,
5   Mort en bloc?

La mort de l'homme qui a cru,
La mort de l'homme qui méprise,
Voilà ce que je voudrais
Leur lancer comme un crachat.

MARC DE LARREGUY DE CIVRIEUX

Nuit de garde

Jeune soldat, il te faut prendre garde!
Au créneau, la lune est blafarde,
Dans l'ombre rôde la Camarde...

Jeune soldat, mon frère, il te faut prendre garde
5   Aux silhouettes de la nuit!...

Jeune soldat, il faut sécher tes larmes
Et de la voix donner l'alarme
Si l'Ennemi surgit en armes...

Jeune soldat, crois-m'en, il faut sécher tes larmes
10   Car, pour voir clair, de pleurer nuit!

Jeune soldat, ne songe qu'à la guerre...
Pour être au guet, il ne faut guère
Te souvenir du doux naguère...

Jeune soldat, tu dois ne songer qu'à la Guerre
15   Afin de ne jamais dormir!

Jeune soldat, il faut veiller sans trêve,
Fuir le repos et fuir le rêve
Jusqu'à ce que le jour se lève!

Jeune soldat, mon frère, il faut veiller sans trêve
20   Où ta consigne est de mourir!

Le Drapeau de la Révolte

— Je parle en votre nom, ô Frères ignorés,
Qui n'osez pas clamer votre amère souffrance
Et mourez, sans un mot et sans une espérance,
4 Pour une humanité aux Chefs déshonorés!

Je parle en votre nom, ô parents qui pleurez
La mort d'un fils, qui fut pour lui sa délivrance,
Et ne pouvez plus croire, après cette navrance,

8   En vos Bourreaux menteurs qui vous ont tant leurrés!
    Je parle en votre nom, muets amis de la tombe,
    Qui sans cesse accroissez l'inutile hécatombe,
    Et surgirez de terre au jour de Vérité!

12 — En votre nom à tous, je m'adresse à la foule
    Pour qu'elle arbore enfin, sur l'Univers qui croule,
    Le Drapeau de Révolte et de Fraternité!

L'épître au perroquet

    As-tu lu le journal, Jacko, mon vieux Jacko?
    Il me semble t'entendre aujourd'hui qui jacasse
              — De la façon la plus cocasse —
              Tous les «en-tête» rococos
5   De la gazette de l'«Écho»:
    «Crr... Crr... on les aurra... Crr... Rrr... Victoire prroche...»
              Et tu rêves que tu bamboches
              Avec quelques tripes de Boches!
              Te voici donc l'«alter ego»
10   De ton grand maître, l'Hidalgo,
              (Toujours «sans peur et sans reproche»)
              Qui — «loin de l'œil des Wisigoths» —
              Écrit, pour tous les bons gogos,
              Au nom de Maurice... Baudoche!
15   Crois-le, je suis fier de connaître
              Un perroquet aussi savant
              Qui peut répéter à son Maître:
              «Nous les tenons!» et «En avant!»
              Car nous, les Singes des grands Bois,
20   Dans notre Argonne, loin des Hommes,
              Nous les oublions et nous sommes
              Bien plus sauvages qu'autrefois!

    «Le hareng toujours se sent dans la caque»
              A dit un bipède écrivain:
25 Vouloir imiter l'homme est ridicule et vain
    À moins que l'on ne soit perroquet ou chauvin
    ...Et j'aime mieux rester:
                        Ton fidèle
                              Macaque.

LE CIVIL DIT: «La Vie est chère.»
Moi, je la trouve bon marché,
Car je connais une Bouchère
Dont l'étalage s'est «gâché»:
5   Une Phrygienne, au bonnet rouge,
Aux lippes fraîches de sang bu,
Au front bestial, aux yeux de gouge,
Qui jette sa viande au rebut!

Vers de monstrueuses Villettes,
10   Elle se rue aux abattoirs
Et cogne à grands «coups de boutoirs»
Dessus les hommes qui halètent
Sous les gros poings de ses battoirs!

Elle dépèce, et taille et rogne
15   Les bras, les jambes, les cerveaux,
Et puis, elle offre sa charogne,
Sous l'étiquette de «Héros»,
Aux rats, aux vers et aux corbeaux!

Vous dites que la Vie est chère?
20   Moi, je la trouve bon marché!
Pourquoi laissez-vous se gâcher
Les «abatis» de la Bouchère?

Mangez!... Utilisez les Morts!
Qu'ils servent encore à la Vie
25   De ceux qui n'ont pas eu remords
De les lancer à la tuerie
Pour protéger leurs propres corps!

O bonnes âmes charitables,
Sauvez votre Conscience et, sans peur, récitez,
30   Avant de vous carrer à table,
Une prière délectable
À la «nouvelle Trinité»!
Chantez, chantez en cœur le «Benedicite»,
Dans vos festins d'humanité!...

35 Chantez, sanctifiez le divin sacrifice
Et donnez-vous l'absolution
«Au nom du Droit, de la Justice
Et de la Civilisation!!!»

DEPUIS LES JOURS de Charleroi
Et la retraite de la Marne,
J'ai promené partout ma «carne»
4   Sans en comprendre le pourquoi...

Dans la tranchée ou sous un toit
Par le créneau ou la lucarne,
À cette guerre, je m'acharne,
8   Sans en comprendre le pourquoi...

Quand je demande autour de moi
Quel est le but de ces tueries,
On me répond le mot: «Patrie!»
12 Sans en comprendre le pourquoi...

Mieux me vaudrait de rester coi,
Et quand viendrait mon agonie,
De m'en aller de cette vie
16 Sans en comprendre le pourquoi...

ANDRÉ MARTEL

Exécution

Toute la nuit on s'est gratté.
Pour que le mal ne s'éternise,
Dans un repli de la chemise,
4   Un des filous est arrêté.

Cette fois, trêve de bonté,
La clémence n'est plus admise:
Contre une telle gourmandise
8   L'homme, soudain, s'est irrité.

Pou, ton bonheur fut éphémère.
Le jugement est très sommaire:
Le coupable sera puni.

12   Déjà l'ongle à l'ongle se serre...
Un peu comme nous à la guerre,
Un petit coup sec: c'est fini.

Inondation

Il pleut. Le toit n'est pas étanche.
Tac! sur le nez! Tac! dans le cou!
L'eau s'infiltre à travers les planches.
4   Tac! tac! dans l'œil à chaque coup!

Oh! celui qui fit la toiture
A vraiment mal travaillé.
Tac! tac! tac! sur ma couverture:
8   À présent, mon lit est mouillé.

On se dirait dans une grotte:
Les gouttes nous prennent d'assaut.
Tac! tac! tac! tac! sur ma capote,
12   Sur mon dos, en mignons ruisseaux!

Bon! maintenant de la muraille
Coule une source: le doux bruit!

Glou! glou! Sournoise, sous la paille,
16　Elle atteint la pente et la suit.

Tac! tac! comme une stalactite:
C'est amusant, c'est rigolo;
Rions, car en vain l'on s'irrite:
20　C'est charmant! J'ai... les reins dans l'eau.

Mon pain! mon pain! Trop tard! il coule:
Bah! cela fera du pain frais.
On soupera comme les poules
24　Ce soir: c'est charmant, tout à fait!

Tac! tac! Comme en télégraphie!
Au sol du maître de céans,
C'est toute la géographie:
28　Gibraltar, Le Cap, l'Océan.

Au plafond, sont des compte-gouttes,
Et sur les flancs, des robinets;
Des totos s'amusent aux joutes
32　Sur des brins de bois calcinés.

L'âtre est noyé. L'onde, sans trêve,
Pénètre par tous les sabords:
Sauve qui peut! Le flot s'élève...
36　Mettons-nous à l'abri dehors.

Le Dur

Quand l'attaque partout fut soudain déclenchée,
Émile, dit Le Dur, un puissant Bourguignon,
Au signal, se lança d'un bond sur la tranchée
Et partit à l'assaut avec ses compagnons.

5　Aux clameurs des canons immenses, furieuses,
Aux fracas des obus, aux chants des mitrailleuses,
Dans le fer et le feu, dans la boue et le sang,
Dans les arbres croulant sur le sol frémissant,
Aux éclats bruissant comme un essaim de mouches,
10　Les hommes, un rictus effrayant sur la bouche,
Coupaient les fils de fer, sautaient les entonnoirs
À travers la fumée âcre des engins noirs,
Foulaient de leurs souliers boueux des chairs de braise,
Et, fous, s'engloutissaient dans l'ardente fournaise.
15　Partis quinze, à l'escouade ils n'étaient plus que trois,
Bondissant sur les morts tombés en mille endroits.

Le premier se coucha, les entrailles fumantes;
Le deuxième tomba frappé, dans la tourmente,
D'une balle en plein front; Le Dur courait encor,
20 Découvrant sa poitrine au vent noir de la mort,
Nu-tête, ensanglanté, les cheveux en broussailles,
Seul, aux rugissements sans fin de la mitraille.
Dans un fossé teuton, soudain, précipité,
Émile s'arrêta, soufflant, surexcité,
25 Comme un cheval fougueux arrêté dans sa course,
La barbe ruisselant de sang comme une source.
Puis, de nouveau, mêlant sa voix aux cris du fer,
Comme un démon, Le Dur s'enfonça dans l'enfer...

Il courait maintenant sans fusil, sans grenades,
30 Désarmé, furieux, sourd, dans la fusillade.
Quand un Teuton armé d'un poignard, front baissé,
Se jeta sur Le Dur au tournant d'un fossé.
Alors, dans le boyau, se déroula, moderne,
Le drame des forêts à l'âge des cavernes,
35 Hélas! À ce spectacle un témoin égaré
S'arrêta, l'âme sombre, immobile, atterré;
Tigre contre lion, entre deux murailles,
Les deux hommes s'ouvraient, féroces, les entrailles;
Les gorges frémissaient de rage et de douleur. —

40 O Kaiser, Empereur maudit, que ta pâleur
Nous trahisse ton trouble! Allons, regarde et tremble! —

Et les muscles mêlés, sanglants, fumants encor,
Ils roulèrent tous deux, et râlèrent ensemble,
Horribles, bouche à bouche, enlacés dans la mort.

Les pluies

Le pétrole ou l'essence,
Dans son panache ardent,
Chante aux cris de souffrance
4 De l'homme se tordant.
Bellone fait la guerre
Alliée à Pluton:
Il pleut du feu. Bouchère
8 Égorge tes moutons.

L'acier déchiquète
Dans un bruit infernal,
Un homme qui hoquète
12 Dans un râle final;

Aux forêts vocifèrent
Cuivre, fonte, laiton:
Il pleut du fer. Bouchère
16   Égorge tes moutons.

De poitrine et de cuisse
Sautent des lambeaux noirs.
Dieu! Quel feu d'artifice
20   Monte des entonnoirs!
Voici de sombres glaires;
Buvez germes gloutons:
Il pleut du sang. Bouchère
24   Égorge tes moutons.

Loin de l'affreux carnage
Coule un fleuve de pleurs;
Délicieux breuvage
28   Du Kaiser de l'horreur.
Pleurez, filles et mères,
Réjouis-toi, Teuton:
Il pleut des pleurs. Bouchère
32   Égorge tes moutons.

Faiblesse

Oh! mourir au printemps, quand la sève bouillonne
            Partout dans les grands bois!
Mourir, lorsque la fleur s'ouvre et, toute mignonne,
4   Montre ses petits doigts!

Mourir lorsque le ciel vous parle de peinture,
            Les oiseaux de chanson;
Lorsque l'être et la chose, et toute la nature,
8   Vous donnent le frisson!

Lorsque se glisse en vous cette chaleur qui vibre,
            Qu'amène le printemps,
Et lorsque vous pensez qu'il est si bon de vivre,
12   Que vous avez vingt ans!

Quand tout vous dit d'aimer et de chanter, de rire,
            Au monde radieux...
Dans notre cœur ému, laisse-nous te maudire,
16   O printemps odieux!

Concert

C'est amusant,
   Tzan!...
La voix des balles
Aux airs méchants:
   Chants
6 De cannibale;

Gong qui gémit
   Mi,
Corde qui grince,
De là, de ci,
   Si,
12 Femme qu'on pince,

Grand coup de fouet
   Net,
Ou dans la lutte,
Vifs triolets
   Laids,
18 De grosse flûte...

Quand le canon,
   Nom
De bon D...! qu'est-ce?
Dans le combat
   Bat
24 La grosse caisse.

Notre Lebel
   Bel
Pour le quadrille,
Au gai concert
   Sert
30 Un joyeux trille.

Allegretto,
   Tôt
Le tourne-boches
Soignant l'effet
   Fait
36 Des triples croches.

Les yeux ardents
   Dans
Son trou de taupes,
Teuton râlant
   Lent
42 Chante en syncopes.

Puis, étonnés,
   Nez
À terre, et roses,
Boches occis
   Y
48 Comptent les pauses.

Quand la chanson,
   Son
Doux au possible!
S'arrête enfin
   Fin
54 Sur la sensible.

Pour éviter,
   Té!
Une surprise,
On part, soudain,
   Daim
60 Pour la reprise.

MARCEL MARTINET

Ce quai...

Ce quai est jonché de feuilles mortes
Que chasse à tous vents le triste octobre,
Et sur le bois nu des peupliers
4   S'acharne ton aile, automne morne;

Et sous ton ciel bas privé d'oiseaux,
Râclant ou feutrant les pavés froids
C'est le crissement des feuilles sèches,
8   L'odeur de pourri des feuilles mortes...

Femmes qui passez sur ce quai sombre,
Vous vieilles mamans, vous jeunes femmes,
Respirez-la bien, l'odeur pourrie,
12   Et entendez-les gémir, les feuilles:

Ailleurs il y a des forêts nues
Où le vent d'octobre hurle et pleure,
Et le long des routes, sous leurs talus,
16   Sous leurs buissons nus, des feuilles mortes,

Et là-bas, là-bas, dans ces forêts
Où vos pauvres pas n'iront jamais,
Le long de ces routes qui vont et vont,
20   Et dont vous n'aurez jamais les noms,

Sous les feuilles mortes, séchées, pourries
Que le vent d'octobre entasse aux fossés,
Pourris dans leurs lits de feuilles rougies,
24   Les cadavres froids de vos bien-aimés.

Musique militaire (extracts)

Musique militaire,
Roulement des tambours,
Fanfare des clairons, fanfare pleine d'ailes
Et pleine des vents du matin,
5   Comme il bat fort, le cœur des hommes!

Musique militaire,
Sur les routes, à l'aurore,
Au clair du grand ciel bleu déjà plein de lumière,
Sur les champs, sur les prés, sur les bois vaporeux,
10   Quand un brouillard léger monte de la rivière
Comme tu sonnes claire
Au clair du grand ciel bleu!

Musique militaire,
Tu passes dans les rues, tu enivres les rues,
15   Les pavés sont brûlants sous les pas des soldats,
Et les passants debout sur le bord des trottoirs
Tu les entraînes,
Et ceux aux fenêtres ouvertes
Tu les arraches, tu les emportes,
20   Leurs yeux brillent, un vent d'héroïsme
Enfle leur vie.

Et les soldats, eux, les soldats,
Ils vont, ils vont, la tête haute,
Les yeux hardis, le cœur chauffé,
25   Enveloppés dans les fanfares,
Redressant leurs dos sous le sac,
Tendant leurs jarrets las,
Ils partent vers les gares
Qui vont là-bas, qui vont là-bas...

30   Dans leurs uniformes
— Leurs uniformes
Déteints, fripés, souillés, déchirés, haillonneux,
Mais ce sont encore les uniformes
Et ces hommes épuisés qui les portent,
35   Les uns contre les autres
Ils sont serrés, peau à peau, coude à coude,
Et bestiale une âme irrésistible
Lie et soulève encor ces hommes las —

Dans leurs uniformes, là-bas,
40   Sous les vents grisants des plis des drapeaux,
Dans les tourbillons de flammes brûlantes
Du chant des clairons sonnant la bataille,
Dans l'élan tonnant et lourd des tambours,
Ah! dans le bruit, le feu, la mort,
45   Les balles, les obus, la mitraille,
L'acier scintillant et taillant,
Musique folle, musique folle, ils te devancent,
Oublieux d'eux-mêmes et de tout,
Fonçant dans l'ombre flamboyante,

50   — Et la mort leur découvre, immobile et glacée,
      Son infernal silence.

[. . .]

Mourir...
Mourir! — Avoir su vivre, avoir chéri la vie,
Et mépriser la mort et courir à la mort
55   Et mourir sans regrets et mourir avec joie,
Sachant combien la vie était bonne et charmante
Et que tout va sombrer et que la mort prend tout,
     — Salut, ô combattants, triomphants ou vaincus,
Dont une belle vie exigeait ce trépas
60   Pour son couronnement,
Salut, vous qui sachant que vous alliez mourir
Et ne regrettant rien et ne blasphémant rien
D'une vie tant aimée, avez cherché la mort.

O morts de la révolte, ô morts des barricades
65   Dont le sang fut semé sur le pavé des villes,
Je vous salue, ô morts. Et de vous, volontaires,
Je dis: Heureux ces morts.
Ils sont morts enivrés, mais ils sont morts lucides,
L'ivresse avec laquelle ils embrassaient la mort
70   Ils l'avaient préparée dans l'amour de la vie,
C'est pour leur dernier choix, libres et résolus,
Qu'ils choisissaient la mort. C'est bien eux qui mouraient.

Heureux ceux qui sont morts pour couronner leur vie.
     — Musique militaire, ivresse, âme étrangère,
75   Heureux ceux qui sont morts joyeux sans t'écouter,
Radieux sans avoir besoin de ta lumière,
Ceux dont le jour de mort fut un jour de leur vie,
Semblable à tous leurs jours et le plus beau de tous,
Heureux ceux qui sont morts en regardant la mort
80   Avec une âme claire et de toute leur âme,

Heureux ceux qui sont morts en habits d'ouvriers.

Médailles

Infirmes,
Avec sur vos poitrines des rubans et des croix,
Vous êtes des héros, aujourd'hui.

Infirmes,
5   Avec sur vos poitrines vos rubans et vos croix,

Demain, chez vos patrons,
Vous serez des ouvriers plus malhabiles,
Plus mal payés,
Vos petits auront faim.

10   Et si demain, même demain,
Nous vous disons
Que votre sang vous l'avez versé
Pour que vos maîtres soient plus durement vos maîtres,
Vous lèverez contre nous vos moignons,
15   Vos béquilles de gloire et de douleur,
Infirmes, avec vos rubans et vos croix,
Qui n'accepterez pas d'avoir pour rien souffert.

Elles disent...

Elles disent: Oui, évidemment,
C'est triste. Tous ces jeunes hommes!
Et ils n'ont pas toujours tous les soins. N'est-ce pas, on ne
      peut pas.
Notre amie qui a fait de l'hôpital
5   (Celle qui a la croix de guerre)
Nous a raconté. Oh, c'est triste.

Mais tout de même.
S'il fallait écouter ce Barbusse
— Ce Latzko, dit l'autre d'en face —
10   Oh chérie, non, non. Ce serait trop affreux.
Non, non.

N'est-ce pas, si c'était comme ils disent,
Tellement horrible,
Nous ne pourrions pas supporter,
15   Nous n'avons pas le cœur si dur.
Ce n'est pas possible.

D'ailleurs mon frère le capitaine
Nous l'écrit bien, qu'on exagère...
Et puis il y a de belles heures,
20   Des heures d'enthousiasme, hein, l'assaut?
Une tasse de thé encore, chère amie?
(Nous avons conservé un peu de sucre.)

Lundi 11 novembre 1918

Les cloches sonnent, les cloches sonnent,
Dans ces rues, dans tous ces hommes
Les cloches résonnent,
Sur les maisons, sur les usines,
5   Sur les champs au loin frémissants,
Sur les monts et sur les plaines,
Les cloches sonnent, les cloches sonnent.

Ah! que ton visage est pâle!
Il bat à se rompre, dis, ton cœur?
10   Et c'est ce besoin de pleurer,
Comme une angoisse dans ta gorge.

J'aurais besoin de dire: Mon Dieu!
Mon Dieu, vous, tous les hommes du monde,
Est-ce vrai qu'elle soit finie, la chose?
15   Est-ce vrai qu'ils ne s'assassinent plus?

Morts, mes morts, affreusement morts
Est-ce vrai que tout soit fini?
Que je ne vous reverrai plus?

Ah! comme elles sonnent! comme elles sonnent!
20   Comme elles sonnent dans les cœurs
De ceux qui savent, de ceux qui pleurent!
Oui, oui, ils ne se tueront plus.
Se réjouir sur cet ossuaire,
Ah! Comment pouvoir être heureux?

25   Et cependant ce cœur bondit,
Les cloches sonnent, les cloches sonnent,
Ah! mes assassinés, pardon!
Mon amour dans vos pauvres tombes
Est avec vous, tout avec vous.
30   Mais c'est fini, mais c'est fini.
Ah! comme elles sonnent! comme elles sonnent!
O morts glacés, pardonnez-moi,
Le monde, le monde est délivré!

ANNA DE NOAILLES

Verdun

Le silence revêt le plus grand nom du monde;
Un lendemain sans borne enveloppe Verdun.
Là, les hommes français sont venus un à un,
Pas à pas, jour par jour, seconde par seconde
5   Témoigner du plus fier et plus stoïque amour.

Ils se sont endormis dans la funèbre épreuve.

Verdun, leur immortelle et pantelante veuve,
Comme pour implorer leur céleste retour,
Tient levés les deux bras de ses deux hautes tours.

10   — Passant, ne cherche pas à donner de louanges
À la cité qui fut couverte par des anges
Jaillis de tous les points du sol français: le sang
Est si nombreux ici que nulle voix humaine
N'a le droit de mêler sa plainte faible et vaine
15   Aux effluves sans fin de ce terrestre encens.
Reconnais, dans la plaine entaillée et meurtrie,
Le pouvoir insondable et saint de la Patrie
Pour qui les plus beaux cœurs sont sous le sol, gisants.

En ces lieux l'on ne sait comment mourir se nomme,
20   Tant ce fut une offrande à quoi chacun consent.

À force d'engloutir, la terre s'est faite homme.

Passant, sois de récit et de geste économe;
Contemple, adore, prie, et tais ce que tu sens.

À mon fils

Mon enfant, tu n'avais pas l'âge de la guerre,
Tu n'eus pas à répondre à ce grand «En avant».
Pouvais-je me douter, quand tu naissais naguère,
Que je te destinais à demeurer vivant?

5   Trois ans, quatre ans de plus que toi, les enfants meurent,
    Car ce sont des enfants, ces sublimes garçons,
    Bondissant incendie au bout des horizons,
    Tandis que ton doux être auprès de moi demeure,
    Et qu'au son oppressant et délicat des heures
10 Ta studieuse voix récite tes leçons.
       — Et voici qu'une année aisément recommence!
    Mon cœur, de jour en jour, est moins habitué
    À la mystérieuse et sanglante démence,
    Et je songe à cela, d'un cœur accentué,
15 Cependant qu'absorbé par l'Histoire de France,
    Tu poses sur la table, avec indifférence,
    Ta main humble et sans gloire, et qui n'a pas tué...

Astres qui regardez...

Astres qui regardez les mondes où nous sommes,
Pure armée au repos dans la hauteur des cieux,
Campement éternel, léger, silencieux,
Que pensez-vous de voir s'anéantir les hommes?
5   À n'être pas sublime aucun ne condescend;
Comme un cri vers l'azur on voit jaillir leur sang
Qui, sur nos cœurs contrits, lentement se rabaisse.
   — Morts sacrés, portez-nous un plausible secours!
Notre douleur n'est pas la sœur de votre ivresse;
10 Vous mourez! Concevez que c'est un poids trop lourd
Pour ceux qui, dans leur grave et brûlante tristesse,
Ont toujours confondu la vie avec l'amour...

Victoire aux calmes yeux...

Victoire aux calmes yeux qui combats pour les justes,
Toi dont la main roidie a traversé l'enfer,
Malgré le sang versé, malgré les maux soufferts
Par les corps épuisés que tu prenais robustes,
5   Malgré le persistant murmure des chemins
Où la douleur puissante en tous les points s'incruste,
Je te proclamerais divine, sainte, auguste,
Si je ne voyais pas dans ta seconde main,
Comme un lourd médaillier à jamais sombre et fruste,
10 Le grand effacement des visages humains...

Les jeunes ombres

Soir de juillet limpide, où nage
La nerveuse et brusque hirondelle,
Tranquillité du paysage
Où le large soleil ruisselle,
5   Ciel d'azur et de mirabelles,
Qu'avez-vous fait de leurs visages?

Du visage des jeunes morts
Dissous dans vos fluidités?
De ces beaux morts qui sont montés
10 Par les fermes et fins ressorts
Du vif printemps et des étés,
Dans les feuillages frais et forts
De la terrestre éternité?

Agile et scintillante sève
15 Dont la Nature est composée,
Qu'avez-vous fait de tous ces rêves
Qui se bercent et se soulèvent
Et se déposent en rosée
Dans l'ombre froide et reposée?

20 Ces morts sont la pulpe du jour,
Ils sont les vignes et les blés,
Leurs saints ossements assemblés
Ont, par un végétal détour,
Comblé l'espace immaculé.
25 — Mais le terrible et doux amour
Que proclame tout l'univers,
Le désir jubilant et sourd,
Les sanglots dans les bras ouverts,
Le plaisir de pleurs et de feu,
30 Ces grands instants victorieux
Qu'aucune autre gloire n'atteint,
Où l'homme s'égale au Destin,
Et de son être fait jaillir
Le puissant et vague avenir,
35 Qui les rendra aux morts sans nombre?
— Qui vous les rendra, tristes ombres,
Vous dont la multiple unité
Languit au ciel des nuits d'été!

Héroïsme

Mourir de maladie c'est mourir chez les morts,
C'est avoir vu s'enfuir la moitié de son âme,
C'est implorer en vain le Destin qui réclame,
Mais ceux qui pleins d'un net et bondissant ressort
5   Acceptent hardiment le rendez-vous suprême
Et tendent sans trembler leur main à l'autre bord,
Connaissent la fierté de mourir quand on aime,
Portés par le divin au-dessus de l'effort...
— Heureux ceux qui, frappés au moment qu'ils agissent
10 Ont franchi d'un seul pas les regrets et la peur,
Et qui, loin de la morne et traînante torpeur,
Sont morts pour la Patrie et morts pour la Justice;
— Pour la calme Justice au cœur plein de bonté,
Compagne de l'esprit et sa grande exigence!
15 La Justice au bras fort mais jamais irrité,
Et qui, laissant glisser nonchalamment la lance
Dont le lys déchirant ombrageait sa clarté,
Équilibre sa pure et prudente balance
Par le poids de l'amour et de l'intelligence!

La Paix

Le déluge a cessé; des humains s'interpellent,
L'on compte les vivants. Sur le globe étonné
Un antique bonheur soudain semble être né:
La Paix! Nul ne savait comment cette infidèle
5 Reviendrait occuper, dans l'espace surpris,
Son univers brisé. Que d'espoirs autour d'elle!
Mais un fardeau songeur accable mon esprit:
      Les morts sont sans nouvelles...

CÉCILE PÉRIN

Avril de guerre

La neige blanchit les chemins
Et le vent siffle sous les portes.
Avril de guerre, Avril étreint
Par la bise aux cinglantes mains,
5   Avril aux clartés demi-mortes!

Les femmes ont des voiles noirs
Et les jeunes filles sont graves.
On parle à voix basse. Le soir
Tombe... Silence... Un peu d'espoir
10 Brille en l'ombre ainsi qu'une épave.

Nous sommes là. Nous nous taisons.
Et que dire à celle qui pleure?
Nous sommes là comme en prison.
Immobiles dans nos maisons
15 Nous savons que les hommes meurent.

LES HOMMES sont partis pour la tâche héroïque.
Les longs trains emportant leurs chansons et leurs cris
Roulent vers la frontière avec un bruit épique.
4   Les hommes sont partis, une rose au képi.

Et les femmes, debout près des grilles fermées,
Serrant d'un rude nœud les sanglots défaillants,
Ont souri jusqu'au bout aux têtes bien-aimées,
8   Comme l'on doit sourire au chevet d'un mourant.

Mais seules regagnant le logis calme et tendre
Où tout luit comme hier au soleil de l'été,
Mais seules et laissant leur âme se détendre,
12 Longuement, longuement, les femmes ont pleuré.

Vos FILS de dix-huit ans, vos beaux garçons, avides
D'aventure et de gloire, en chantant sont partis.
L'enthousiasme en eux, flamme auguste et splendide,
4   Brillait si purement que vous n'avez rien dit,

Que les plaintes mouraient sur vos lèvres timides,
Que devant tant d'espoir on restait interdit,
Car ces enfants d'hier qui devenaient nos guides
8   Nous auraient rudement fait honte de nos cris.

O jeunesse de France, exaltée et sublime,
Tu t'en vas vers la mort sans avoir su la vie,
Et tu t'élances vers l'abîme ou vers les cimes,
12 Sans vouloir avouer que tu te sacrifies...

J'AVAIS TOUJOURS pensé qu'entre des bras qu'on aime
        Être faible est un don du sort,
Et que le geste qui s'appuie étreint de même
4   Que le geste enlaçant et fort.

Mais aujourd'hui je prends en haine ma faiblesse.
        Je hais ces fragiles poignets
Qui se pliaient si doucement pour les caresses
8   Et qui portaient des bracelets.

Je hais ce corps vivant et souple qu'on enchaîne
        Aux portes des logis déserts,
Et qui se couche et dort quand la détresse humaine
12   Emplit de ses cris l'univers.

ET VOUS DORMEZ en paix. Et vous ne sentez pas
Peser sur votre front la détresse du monde.
Et vous mangez en paix. Et vous n'entendez pas
La lamentation qui dans l'ombre profonde
Monte, s'élève et meurt. Et vous ne voyez pas
6   Se creuser par milliers les trous sombres des tombes.

— Je vous regarde et vous écoute. Vous parlez
De vos mornes plaisirs. Entre vos mains légères
Qui, le premier hiver, ont beaucoup tricoté,
Ne roule plus la laine. Et le grand mot de guerre
Glisse, mot monotone, avec d'autres mêlé...
12 Car vous parlez aussi quelquefois de la guerre!

Marché

On va, on vient, on passe, on s'aborde en disant:
   «Comment allez-vous, chère Madame?
Il fait beau ce matin. Que tout est cher! Pourtant,
4   Il faut bien se nourrir, Madame!»

Il y a des pivoines en tas, au marché,
   Roses et rouges, des pivoines;
Et des femmes s'en vont, souples, les bras chargés
8   De fleurs. Il y a des pivoines.

Il y a bien la guerre aussi. Mais c'est là-bas.
   Il fait si beau temps qu'on l'oublie.
C'est si loin! Que s'y passe-t-il? On ne sait pas...
12   Il faut bien que la foule oublie.

Les femmes de tous les pays

Les femmes de tous les pays,
À quoi songent-elles, muettes?
Celles à qui la guerre a pris
4 Le bonheur? Les femmes qui guettent...

Les femmes de tous les pays,
O complices inconscientes,
Vous étouffez encor vos cris,
8 Vous êtes là, comme en attente.

Les femmes de tous les pays,
La voix meurt donc dans votre gorge,
Quand ce sont vos hommes, vos fils,
12 Que l'on mutile ou qui s'égorgent?

JE PENSE à ceux qui t'ont serrée entre leurs bras,
À ceux qui t'exaltaient, Guerre, comme une amante;
À ceux qui t'ont fardée, afin qu'à tes appâts
4   Se prenne la foule innocente.

Je pense à ceux qui souriaient sans rien savoir
De l'immense agonie et des sanglots du monde;
Je pense aux veuves qui portaient des voiles noirs
8   Trop coquets sur leurs têtes blondes.

FRANÇOIS PORCHÉ

Villages de l'arrière

Aux abords des hameaux plus rien ne remuait.

L'antre noir du charron garde sa porte close.
       Sous le plafond muet
       Nulle étincelle rose.
5   L'araignée a tendu son fil.

       Le charron lui-même, où est-il?
       Il est avec le châtelain,
Le châtelain avec le maître du moulin.

Le moulin a cessé son bruit de grosse horloge.
10   Où est donc le meunier?
       Le meunier depuis l'an dernier
N'est qu'un nom de plus au martyrologe.

L'épicière est en noir et la mercière aussi,
       Et tout le long de la vallée,
15   C'est comme ici.

La race aux vents s'en est allée.

Le Poème de la tranchée: 'Le jour' (extract)

Dans le boyau d'attaque, un pied sur les gradins,
Lents, pareils à des morts réveillés dans leur tombe,
Tous se haussent pour voir, à chaque obus qui tombe,
       Voler les sacs et les rondins.

5   Sur les rampes du ciel les trains sinistres roulent,
Ferraillant et sifflant, jusqu'aux butoirs, là-bas...
Dans un nuage ocreux les parapets s'écroulent,
       Mais les cris ne s'entendent pas.

Pétards à la ceinture ou baïonnette prête,
10   Ils attendent, l'œil pâle, assourdis à moitié;
Le casque bas leur fait à tous la même tête,
       Plate, fermée à la pitié.

Rien ne subsiste en eux qu'un grand désir farouche.
La femme à ce moment ne reconnaîtrait plus
15   L'homme qui tant de soirs a gémi sur sa bouche.

Ils escaladent le talus.

Ah! voici notre vieille terre,
Qui d'un seul coup jette en avant
Le plus haut feu de son cratère,
20   Son jeune espoir le plus vivant;
Voici la sève qui bouillonne
Sur l'arbre émondé par le sort;
Voici l'acier nu qui rayonne
Comme un rameau rigide et fort;
25   Voici notre jour qui se hâte,
Armé des conseils de la nuit;
Les rouleaux ont pétri la pâte,
Voici le four où le pain cuit;
Voici l'essaim hors de la ruche;
30   Sur les pas du loup qui débuche
Voici bondir meute et veneurs;
Après le bûcheron qui cogne,
Voici pour la fine besogne
Les menuisiers et les tourneurs.

35   La raison suspend son contrôle,
S'obscurcit, laisse aller la main:
L'improvisateur de son rôle
Aura tout oublié demain.
Nuque basse il court, il se livre
40   À tous les vents d'un sombre Esprit...
Et pourtant, Seigneur, sur ton Livre
Ce drame aveugle était écrit.

La fougasse éclate
Et crache un feu noir,
45   L'œil fou se dilate,
On tire sans voir.

La terre s'abreuve.
Tac-tac... le moulin!
Une femme est veuve,
50   Un fils orphelin.

— Passez les cartouches!
La clameur des bouches
Se perd dans le bruit.
Soudain, il fait nuit
55   Sous trente paupières.

Pareil au gamin
Qui lance des pierres,
Le grenadier s'ouvre
Un sanglant chemin.

60   Que le ciel te couvre,
Innocente main!

Le ciseau coupe,
Le fusil part,
Un petit groupe
65   Travaille à part.

Un sifflet bref
Dans l'herbe roule,
Le corps du chef
Bute et s'écroule.

70   Le pied s'accroche,
On se rapproche...

L'un a jeté
La passerelle,
L'autre a sauté
75   Déjà sur elle.
Le reste suit.

Dans chaque sape,
La crosse tape,
Le couteau luit.

80   Murs de terre à gauche, à droite,
L'homme en gris et l'homme en bleu
Dans cette vallée étroite
Se rencontrent devant Dieu.

C'est le soir. Le paysage
85   N'a que quatre pieds carrés.

— Souviens-toi de ce visage
Avec ses yeux effarés.
Souviens-toi pour n'en rien dire
De ce mannequin de cire.

90   Déjà le masque noircit.

Souviens-toi pour mieux te taire,
Imite en cela la terre
Qui ne fait aucun récit.

L'herbe veut qu'on la nettoie.
95   Va, l'homme en bleu, cherche, fouille,
Mais que ton bras s'apitoie
Quand l'homme en gris s'agenouille.

Les fossés sont pleins de morts,
Va toujours, piétine, enjambe;
100   Le ruisseau rougit ses bords
La nuit tombe et le ciel flambe.

Des feux brillent, blancs et verts,
Et tes forces sont usées.
Comment vois-tu l'univers
105   À la clarté des fusées?

Comment sous l'inclinaison
De ces pâles lueurs brèves
Te vois-tu, toi, ta maison,
Tes amis, tes anciens rêves?

110   De ton âme d'autrefois
Que reste-t-il à cette heure?
Un corps se traîne, une voix
De plus en plus faible pleure...

Les mains grattent la terre, un jet brûlant qui poisse
115   Inonde les cuirs en lambeaux.
Nous te crions, Seigneur, qu'auprès de cette angoisse
L'ombre est douce dans les tombeaux.

L'horreur de seconde en seconde
Grandit avec la flamme et les gémissements.
120   Les bataillons fourbus sont séparés du monde
Par des rideaux d'éclatements.

L'énorme vague sombre un instant repoussée
Vient au pied des coteaux écumer à son tour.

La Nuit avec fureur s'est soudain redressée
125   Pour effacer l'œuvre du Jour.

Trois fois, de front, en masse, en épaisseurs funèbres,
        En rangs lourds et serrés,
Ceux-ci disparaissant dans d'opaques ténèbres,
        Ceux-là brusquement éclairés,
130   Trois fois les hommes gris escaladent la pente
        En vain,
Trois fois près du sommet leur colonne serpente
        Et retombe au ravin.

        Un faisceau de clarté balaie
135   La prairie et la haie.
          Sous ce rayon tendu
          Qui se dresse ou se penche,
        L'œil est fixe et la face est blanche.

        L'appel du mourant n'est pas entendu.

140   La main recharge l'arme et la tête s'incline,
La manivelle tourne au bord de l'entonnoir,
        L'escarpement de la colline
        Est tantôt rouge et tantôt noir.

        Partout, des fosses retournées
145   Sortent, terreux,
Les cadavres sanglants des anciennes journées.
          Un bras fiévreux
          Bouche une brèche.
        De quelle soif la gorge est sèche!
150   Le temps n'existe plus, le courage, la peur,
        Tout se confond dans la stupeur.
        Le fusil brûle, on tire, on tire...

Jusqu'à ce que, là-bas, comme une eau se retire,
        Laissant des flaques sur les prés,
155   Les derniers hommes gris, les épaules penchées,
        Aient disparu dans les fourrés,
Et qu'au-dessus des morts, des poutres arrachées,
Des portiques croulants, des arbres abattus,
Les hurlements de l'air un par un se soient tus.

Le Poème de la tranchée: *'Le lendemain'* (extracts)

La pluie épaisse dans la nuit
Partout piétine à petit bruit...

L'un grelotte
Et l'autre sanglote,
5   Et le troisième se tient coi.

— Qui es-tu, toi?

Le troupeau perdu se dénombre.
Combien sont-ils
Au bord de l'ombre,
10   Clignant des cils?

Combien sont-ils dans la souffrance
Sur ce sommet?
Combien sont-ils dans l'ignorance
Du simple cœur qui se soumet?

15   Ils sont en vie:
Ils auraient faim
Sans cette envie
De dormir, de dormir sans fin.

Et toujours sur la joue
20   Le seul baiser du vent,
Et toujours l'averse et la boue
Comme devant.

Presque plus de force
Et jamais de trêve,
25   Vraiment presque rien sous la pauvre écorce
Que l'esprit qui rêve.

Juste une lueur dans un coin de l'âme
Après la démence,
Juste assez de flamme
30   Pour vivre et songer que tout recommence.

Juste assez de sang au creux d'un vaisseau
Pour guetter l'aurore,
Et donner demain ce dernier ruisseau
Qui palpite encore.

[. . .]

35   Découvrons-nous devant ces hommes.
        Sachons, indignes que nous sommes,
        Rester près d'eux à notre rang;
        Aimons en eux la France même,
        Comme il convient ici qu'on l'aime:
40   D'un amour grave et déférent.

        Sous le vieux tricorne à cocarde,
        Sous le bonnet lourd de la garde,
        Sous le schako du voltigeur,
        Aujourd'hui sous la bourguignotte,
45   Demain, ayant repris la hotte,
        Sous le chapeau du vendangeur,

        C'est une France peu connue,
        Âpre et profonde, austère et nue,
        Pareille au sol noir des guérets;
50   Son cœur que l'emphase incommode
        Préfère au ton pompeux de l'ode
        L'ardeur des sentiments secrets.

        Les deux mots saints: mère et patrie,
        Ce n'est pas elle qui les crie:
55   Avec le calme entêtement
        Du paysan lorsqu'il laboure
        Elle se taît, et sa bravoure
        Est comme un mur sans ornement.

JULES ROMAINS

Je remercie la demeure
D'être petite et perdue,
Et je fais aux quatre murs
4   Gloire de leur dénuement.

Tout résonne sans y croire
Du désordre de la mer.
Le silence reste au fond
8   De l'espace pacifique.

Je puis m'emplir jusqu'aux bords
D'une croissante pensée.
Pas de porte ici pour vous,
12   Événements périssables!

Je vous laisserai dehors,
Avec le vent et la mer,
Étourdir d'autres mémoires
16   Du tonnerre qu'il leur faut.

J. Romains, *Chants des dix années*, © Éditions Gallimard

Europe! Je n'accepte pas
Que tu meurs dans ce délire.
Europe, je crie qui tu es
4   Dans l'oreille de tes tueurs.

Europe! Ils nous ferment la bouche;
Mais la voix monte à travers tout
Comme une plante brise-pierre.

8   Ils auront beau mener leur bruit;
Je leur rappelle doucement
Mille choses délicieuses.

Ils auront beau pousser leur crime;
12   Je reste garant et gardien
De deux ou trois choses divines.

UNE ANGOISSE QUI TOURNE en haut de la poitrine
Avec une lenteur écœurante;
                              une angoisse
Pareille à quelque prisonnier perpétuel.

Le centre de la joie empoigné fortement
5   Et serré comme un fruit qu'on veut faire éclater.

Une pensée en moi qui meurt je ne sais où
D'épouvante et de soif dans la chair sans issue.

Une détresse en moi plus grande que le corps.

La chaleur, le brouillard d'une fin de journée;
10 L'air sur la joue, comme une main suante et sale.

Une déception plutôt qu'un crépuscule.
La rue noire, qui ne sera pas consolée.

Des hommes qui s'assoient devant des bars éteints,
Et qui boivent leur délai, seconde à seconde.

15 Le fond du verre qui approche horriblement.

Un souffle poussiéreux ramassant toute vie
Pour l'engouffrer dans la spirale d'un couloir.

Le présent que traverse une brusque lézarde.

Un certain soubresaut de l'âme qui sent venir
20 La séparation, le départ et l'oubli.

Des hommes affalés aux banquettes d'un hall;
Des sacs et des fusils, et des yeux survivants.

Une contrainte, un poids fluide sur la foule
Pour qu'elle s'insinue aux dents de l'engrenage.

25 La pression de plusieurs villes sur la foule.

J. Romains, *Chants des dix années*, © Éditions GALLIMARD

L'ENSEIGNE DORT dans la cabine de métal
Malgré que le soleil sonne contre la mer,
Et que des bruits de pas errent entre les ponts.

De la graisse reluit sur le sol des cuisines:
5   Mais tandis que, debout dans une porte, un homme

Frotte un cul de chaudron avec du sable fin,
Un homme à genoux qui tient un éclat de verre
Épluche, en reniflant, la crasse de l'acier.

Et d'autres hommes, accroupis sur un tréteau,
10   Recousent des boutons dont ils savent le compte.

À main gauche, on aperçoit par-dessus le bord,
Dans l'intervalle d'un treuil et d'un tuyau d'air,
Un navire courtaud qui fait trop de fumée.

Elle est loin, maintenant, la paisible mer d'Asie.
15   Il faut que l'œil prenne à rebours cette eau scintillante
Et qu'il presse avec soin chaque pliure des vagues.

J. Romains, *Chants des dix années*, © Éditions GALLIMARD

DEUX TRAINS sont arrêtés, l'un derrière l'autre,
Deux tubes noirs, bourrés chacun de mille hommes.

Une plaine s'étend à perte de vue;
Le sol paraît spongieux sous l'herbe courte,
5   Et des rigoles tracent maintes figures.

Du soleil stagnant, où tournent des moustiques,
Chauffe jusqu'à l'ivresse les wagons bas.
Les deux bataillons trempent dans un sommeil
Qui sent le bois peint et l'aliment vomi.

J. Romains, *Chants des dix années*, © Éditions GALLIMARD

MAIS D'AUTRES flottes à tâtons
Inventent des chemins subtils.

Il en est une dont les tôles
Se boursouflent sous le tropique;

5   Une autre qui pousse dix proues
Dans les ruines de la banquise.

D'autres colonnes sont en route
Sur un désert plus bossué.

Des trains sifflent vers d'autres disques.

10   Mais tout marche à la même mort.

J. Romains, *Chants des dix années*, © Éditions GALLIMARD

L'automne

Le monde attendait peut-être
À la porte du dormeur;
Pas de grâce pour les songes
4   Ni de sortie dérobée!

Mais voilà qu'au lieu d'un maître
T'accueille une délivrance
Étrange, que le brouillard
8   A nuitamment préparée.

Toute limite est vapeur,
Toute prison est fumée;
La demeure et le chemin
12   Sont au pouvoir d'une aurore.

Par l'abîme dont tu doutes
Un homme est poussé vers toi;
Vous glissez l'un contre l'autre
16   Comme deux astres fuyards.

Et des mouvements ondoient
Au bord de ta solitude,
Ruisselant de cette joie
20   Qu'ont les créatures neuves.

Mais avant que tu les nommes
Compagnons de ton exil,
Ils replongent d'un bond mol
24   Dans le limon éternel.

J. Romains, *Chants des dix années*, © Éditions GALLIMARD

EDMOND ROSTAND

Les ruches brûlées

J'aime que tout de suite ils aient brûlé des ruches.

Abeille, or bourdonnant qui dans l'azur trébuches,
Ils ne sont pas vainqueurs si tu flottes encor,
Dernier petit vestige ailé de l'âge d'or!

5 «Pourquoi me brûlez-vous mes abeilles?» demande
Le curé de Fraimbois à la brute allemande.
«C'est la guerre!» répond le général Danner.
— Oui, celle de la horde à l'essaim libre et fier.
Pourquoi de cette ruche ont-ils brûlé le chaume?
10 Parce que son travail faisait le bruit d'un psaume
Et que son œuvre avait la forme des rayons.
D'ailleurs, souvenez-vous, à Bruxelles, voyons,
Les Chefs n'avaient-ils pas donné l'ordre à leurs bandes
D'écraser en entrant les fleurs des plates-bandes?
15 Et, janissaires gais d'obéir au vizir,
Les soldats sur les fleurs marchaient avec plaisir.
Qu'ils brûlent maintenant les ruches avec joie,
C'est logique: il n'y a plus qu'un pas — le pas de l'oie —
De la fleur écrasée aux abeilles en feu.
20 Comme elles crépitaient brusquement dans l'air bleu,
Et tombaient! C'était beau. La cire parfumée
Coulait en ruisseaux noirs! Et puis, dans la fumée,
Lorsqu'on brûle une ruche, ils sont là quatre ou cinq,
La Fontaine et Platon, Virgile et Maeterlinck,
25 Qui semblent avec vous, abeilles, disparaître,
Comme si, complétant la victoire du Reître,
Un peu plus d'humanisme encor disparaissait!

L'abeille, c'est l'esprit dans la lumière, c'est
Une goutte de miel qui monte entre deux ailes!
30 Comment ces pesanteurs lui pardonneraient-elles?
C'est le goût, c'est le choix rapide, c'est le tact,
D'abord le vague essor, et puis l'effort exact;
C'est l'équilibre et c'est la sagesse, l'abeille!

Et quand l'intelligence humaine s'émerveille
35   De la ruche profonde, et d'y voir son destin
Mystérieusement ébauché par l'instinct,
À servir les Teutons elle n'est pas encline!
Cet ordre libre et doux n'est pas leur discipline.
Oui, la ruche murmure. Et par l'autodafé
40   Tout murmure doit être à l'instant étouffé!
L'abeille, qui jamais n'a pesé sur la rose,
Et qui n'entasse pas lourdement, mais compose,
Fine et bonne, et qui croit qu'un être sous le ciel
N'a droit à l'aiguillon que pour défendre un miel,
45   L'abeille est importune aux barbares; leur haine
Égale leur mépris pour cette citoyenne
Qui n'arme que de frêle et tendre propolis
Une cité construite avec le suc des lis!
Il faut des mouches d'or brûler la hutte blonde,
50   Afin qu'il n'y ait désormais sur le monde
Que des guêpes de fer dans des nids de béton!
Ce qu'ils veulent, — enfin le voit-on? le sait-on? —
C'est, pour qu'à tout jamais la matière nous ronge,
Qu'il n'y ait plus, au fond d'aucun homme, aucun songe,
55   Et plus aucune ruche au fond d'aucun jardin!
Le vaincu n'aurait plus dans sa treille, soudain,
— À quoi lui servirait d'avoir gardé sa treille? —
Aucune abeille! Et quand je dis aucune abeille,
Je veux dire plus rien d'harmonieux, plus rien
60   De noble, de léger, de pur, d'aérien,
Plus rien de ce qui fait qu'un cœur latin peut vivre!
Pas un refuge au monde alors!... pas même un livre!
Car leur pied sur la rose abîmerait Ronsard,
Et si nous ouvrions un Chénier, par hasard,
65   Nous en ferions tomber des abeilles brûlées!

Fruits des siècles! douceurs dans l'ombre accumulées!
Humble miel de Fraimbois, ou grand miel de Louvain!...
Plus de ruches, plus d'avenir, plus de couvain
Secrètement nourri de la fleur des lambruches!
70   — «Ah! dit le pauvre abbé, pourquoi brûler mes ruches?»
Et j'aime qu'au Pasteur d'abeilles le Brûleur
D'abeilles ait répondu: «C'est la guerre!» — Oui, la leur!
Quant à la nôtre...

Aux premiers jours du choc tragique,
Lorsque nos cavaliers montaient vers la Belgique,
75   On raconte qu'un soir les cuirassiers français

Traversaient un hameau des Flandres, je ne sais
Plus lequel; et sur leurs chevaux couverts de roses,
Tous ils chantaient, entre leurs dents, à bouches closes,
La *Marseillaise*. Ils la bourdonnaient seulement;
80 Et c'était magnifique. Et ce bourdonnement
De colère latine au-dessus des corolles,
C'était l'âme grondant sans geste et sans paroles,
C'était la conscience, et c'était la raison;
Cela faisait un bruit d'orage et d'oraison,
85 Pieux et menaçant, doré quoique farouche,
Calme. On ne voyait pas remuer une bouche,
Et ce bourdonnement semblait sortir des fleurs.
Et ceux qui l'entendaient croyaient, les yeux en pleurs
Entendre, dans le soir aux poussières vermeilles,
90 Comme une *Marseillaise* étrange des abeilles...
Et c'est ainsi que, purs, ayant fait à dessein
De leur hymne de guerre un murmure d'essaim,
Nos hommes s'en allaient vers le Nord plein d'embûches
Sauver le miel du monde et mourir pour les ruches!

La cathédrale

Ils n'ont fait que la rendre un petit peu plus immortelle.
L'Œuvre ne périt pas, que mutile un gredin.
Demande à Phidias et demande à Rodin
4 Si, devant ses morceaux, on ne dit plus: «C'est Elle!»

La Forteresse meurt quand on la démantèle.
Mais le Temple, brisé, vit plus noble; et soudain,
Les yeux, se souvenant du toit avec dédain,
8 Préfèrent voir le ciel dans la pierre en dételle.

Rendons grâce — attendu qu'il nous manquait encor
D'avoir ce qu'ont les Grecs sur la colline d'or:
Le Symbole du Beau consacré par l'insulte! —

12 Rendons grâce aux pointeurs du stupide canon,
Puisque de leur adresse allemande il résulte
Une Honte pour eux, pour nous un Parthénon!

Le bleu d'horizon

Adieu, garance! il faut se faire une raison,
Et qu'à moins s'exposer le héros se résigne.
Mais de vous habiller l'horizon seul est digne,
4   Vous qui de l'Avenir êtes la garnison!

Défendre l'Avenir en habit d'horizon,
O le bel uniforme et la belle consigne,
C'est un signe, ce bleu; vous vaincrez, par ce signe,
8   Leur gris de casemate et leur brun de prison!

Je crois, puisqu'ils n'ont pris que des couleurs de terre,
Qu'il est bon, qu'il est juste et qu'il est salutaire
Qu'on s'habitue à nous confondre avec l'azur;

12   Et pour le monde il sied, puisque Berlin et Vienne
Ne peuvent pesamment mettre en marche qu'un mur,
Que notre armée à nous soit l'horizon qui vienne!

L'année douloureuse

Donc, mon pays est en danger. Mon père est mort.
           Ma mère est morte.
J'ai murmuré: «C'est trop!» car le cœur n'est pas fort.
4   — Mais l'âme est forte.

J'ai compris. J'ai cessé de demander pourquoi
           Ceux que je pleure
Avaient, pour s'enfoncer dans le sol devant moi,
8   Choisi cette heure;

Car plus farouchement, comme le pin léger
           De ces collines,
Je tiens à cette terre où je viens de plonger
12   Mes deux racines.

HENRIETTE SAURET

Le joug

Le pays est une fournaise
Où grillent les fronts et les cœurs.
Le deuil, la crainte et la rancœur
4 Partout épandent leur malaise.

La stricte loi mate les gens;
Les esprits passent à l'enclume.
Sous la cagoule, indépendants!
8 Et l'art s'enfonce dans la brume...

Essors, imaginations,
Silence! Il y a cette chose
Accaparante qui s'impose,
12 Arrêtant l'émanation.

Rien n'est indemne de l'emprise,
Nulle source, nulle oasis.
Chaque peuple au même gâchis
16 Se débat, s'essouffle, s'enlise.

(11 lignes censurées)

O les lointaines mers... ô les îles désertes...

La révolte

Une longue rumeur monte, monte et s'étire.
La rumeur des sanglots, du martyre et de l'ire.

— Rêve, accorde ta harpe, offre-moi tes navires!

La flamme des engins brûle les basiliques
5 Et j'entends crépiter ces brasiers pathétiques.

— Flambe plus dru, mon cœur! Ma passion, réplique!

Ah! le choc virulent des armes malfaisantes,
Zébrant la chair, navrant le saint œuvre des ventres...

— Que s'élancent, penser, tes phalanges sonnantes!
10   Les foudres des mortiers, partout braqués, rugissent,
     Elles violent le ciel, le marquent, le flétrissent...

— Parole, hâte-toi! Ma bouche, à ton office!
Il croît, l'odieux concert dont la mort tient le sceptre,
Je ne l'écouterai. Je refuse d'en être!
15   — Cordes de mon gosier, chantez la vie en fête!

Plus fort, plus large! ô ma révolte, éclate et nie!
Amplement, par delà les présentes tueries,
Élève-toi jusqu'à l'intangible harmonie.

Je vous surpasserai, vacarmes délétères!
20   Non, non, vous n'êtes pas le vrai cri de la terre!

Je ne les entends plus. Mon rêve les fait taire.

Avertissements

Le front, cette ligne d'airain,
Ce rideau fait de corps accolés l'un à l'autre,
Nous semble un univers distinct
4   Nettement séparé du nôtre.

Et cependant, il correspond,
Il se relie et il adhère
À ceux qui restent en arrière,
8   De la plus intime façon,

Par des attaches, des jointures
Mystérieuses, virtuelles,
Accrochant de leurs liens fidèles
12   Chaque homme à quelque créature.

Elles forment comme un réseau
Qui tient le pays sous ses mailles.
Ce rideau sans cesse tressaille,
16   Traversé de mille sursauts.

L'éclat gronde, la balle frappe,
Un être atteint hurle et s'abat...
Et la mort gloutonne le happe.
20   ...On croit que tout s'arrête là...

Non. Perçant l'ombre des distances,
Des fluides, exactement,

Partent du soldat expirant
24 Pour avertir des consciences;

Et, chaque fois qu'un homme râle,
En même temps, dans une salle
Misérable ou luxueuse,
28 Agonise une amoureuse.

Elles

Restent à la maison les faiseuses d'enfants,
Les femelles devant perpétuer la race.
Leur bonheur arraché part avec leurs amants,
4 Il leur faut demeurer soumises à leur place.

Leur combat, c'est garder le bon ordre au foyer.
L'armoire et le cellier, voilà leurs seules troupes,
Et leurs victoires sont la lessive et la soupe.
8 Leur rôle est de ranger, de coudre et d'engendrer.

Donc, c'est pour protéger leur toit et leur pâture
— Paradoxe ironique et dilemme jaloux —
C'est pour elles et leur neuve géniture
12 Que courent à la mort les grands fils, les époux!

C'est pour elles? Pourtant, dans la grave balance,
Leur volonté n'a pas de poids, ni leur désir;
Juste leur permet-on de craindre et de souffrir:
16 Elles n'ont que leurs pleurs, l'attente et le silence.

Femmes, le désespoir sèche-t-il votre cœur?
Mort, votre fils, votre homme! Eh bien, nulle révolte!
Camille ou Niobé n'ont plus droit aux clameurs;
20 Tout bas, et cachez-vous derrière votre porte.

Autrefois, vous étiez, à l'heure des tocsins,
Plus libres. Parmi vous, il y avait des lionnes
Qui savaient partager les périls masculins.
24 D'autres jugeaient les coups et tressaient des couronnes.

Aujourd'hui, on vous tient sous le strict de la loi;
Créatures de force, on vous mue en passives.
Chacune dans sa stalle, avec l'âme aux abois,
28 Et la parole éteinte et l'ardeur inactive.

(4 lignes censurées)

Et voilà. Femmes, vous restez là, mains ballantes,
Jouant Clémence Isaure ou dame Malborough.
Oh! vous avez toujours le droit d'être élégantes,
32 De lire les journaux qui sont si bons pour vous;

De tenir un rôle flatteur aux ambulances,
Une croix symbolique épinglée à vos fronts.
— Encor faut-il avoir certaines références,
36 Connaître quelque évêque et pouvoir quelque don.

Et voilà. On les fit en ruban, vos entraves.
Qui, d'entre vous, les sent? Dix mille compliments
Pleuvent chaque matin sur vos têtes d'esclaves.
40 Misère! on vous jugule, on vous pipe, on vous ment!

(*29 lignes censurées*)

La Paix des Dames

Marguerite d'Autriche et Louise de Savoie,
Voyant guerre sans fin abîmer leurs États,
S'en vinrent à Cambrai, sans escorte et sans soies,
4   Pour fémininement résoudre les débats.

Ne se regardant pas comme des ennemies,
Considérant d'abord la grand'douleur humaine,
Au-dessus des partis et des stériles haines,
8   Ces deux femmes furent unies.

Sans doute ensemble elles pleurèrent
Sur tant de tués vainement,
Et maudirent l'entêtement
12 De ceux que la rancune altère.

Dans la loyauté de leurs âmes,
Calmement discutant les choses,
Elles établirent les clauses
16 De la charmante Paix des Dames.

Il me plaît, cet accord raisonnable et galant.
Eh, qui donc aujourd'hui, aurait cette sagesse?
Qui renouvellerait le geste intelligent
20 Que vous fîtes jadis, ô profondes princesses?

MARCEL SAUVAGE

Course pour vivre

Mes genoux crèvent l'air
Mes jambes le fendent
D'un coup de ciseaux.
Le vent nous plaque son maillot
5   Liquide et froid sur le ventre.

Je porte le numéro 15 dans un 1.200 mètre interclubs.

Je n'aime pas ces courses de demi-fond
Qui usent la cervelle
Comme la meule ronde use le couteau.
10   Je préfère la flambée de tous les muscles
Nette
Brutale et rouge: 100 mètres.

Les mains serrées sur deux bouchons
C'est là mon appui.
15   Je mâche un coin de mouchoir.
Je tends le cou
On pourrait jouer de la mandoline sur ses cordes.

Plus vite que moi mon sang galope.
Je trace la piste en cadence.
20   J'épuiserai le fond de mon cœur.
Je vais suer, sans décoller, sagement
Toute la fatigue des nerfs.

La piste, mauvais serpent
Dresse la tête.
25   Enfonce tes deux poings dans le vent
Et laisse-toi tomber, toi, dans le vent.

Je me grise, je vais du même train
Tranquille.
L'automne me grimpe à la tête.
30   Le froid me gaine les cuisses.
Poitrine contre poitrine
Je tiens
Contre le vent, sur cette plaine de Picardie
Au mois d'octobre 1914, le premier jeudi.

35 En 1916
    J'ai couru une autre course
    Et j'ai gagné
    Au nord d'Amiens.

    Je tenais à la vie
40 Comme ces cadavres têtus à leur fusil
    Par leurs mains gelées.

    Je tombais
    Je repartais
    Mes deux poings enfoncés dans mon ventre.
45 Je perdais du sang.
    J'étais crevé comme une barrique.
    Je serrais les dents
    Le vent sifflait entre mes dents.
    Le but
50 C'est une croix de Genève, rouge et blanche
    Au bord d'un trou.
    Le drapeau est planté dans la terre.
    La pluie a fait couler le rouge.

    L'objet d'art à gagner, c'est la vie.

55 Pas de femmes pour nous regarder courir.
    Il y a un but
    Ce drapeau
    Deux drapeaux tout à coup
    Trois, quatre, mille drapeaux
60 D'entre les mains du charlatan qui n'a plus
    Que les os
    Et qui rit.

    Je saute les haies
    Qui sont des morts enchevêtrés.
65 J'entends des cris.
    Ceux qui ne peuvent plus bouger
    Qui sont cloués dans la boue
    Qui vont crever
    Dans leur bain de sang et de boue
70 Crient. Et m'excitent.
    «Ne craignez rien, je tiendrai jusqu'au bout.»
    ...Et je repartais.

    J'ai touché la ligne
    Je n'avais plus guère de sang dans le ventre.
75 Derrière mon poing en guise de bonde, cependant
    J'en rapportais assez pour que dedans

Les chirurgiens et de jolies femmes
Puissent encore se laver les mains
Assez, pour vivre.

Tu ne tueras pas

Le cœur d'une pendule
Bat seul
Seul
Au fond des chambres.

5   On a fusillé les lampes.

En des légendes oubliées
Des maisons éventrées
Baillent
Deuil et silence.

10 Les enfants sont morts.
Sur les cadavres, les chiendents
Au gré des vents
Font la révérence.

Dix millions de fronts pilés
15 Pour un grain qui ne lèvera plus
Un grain de blé qui ne peut plus lever
Un petit grain d'avenir perdu...

On a fusillé les lampes.

Le châtiment

Dans la rue
Les voitures
Sur les pavés, comme des crécelles dures
Les taxis qui filent
5 Rouges, le derrière en fumée
Les camions lourds
Les maisons qui tremblent.
Les tramways sous les trolleys
Crient...
10 Sur les trottoirs
Les passants qui vont, qui vont.
La vie qui hurle.
La ville: Paris.

Courait une automobile
15   Riche.
Une voiture à bras
Que traînait une bête de somme
Un homme
Un homme en sueur
20   Lui a barré la route.
Un Monsieur s'est penché
À la portière de l'automobile riche,
Un vieux monsieur riche.
Il a crié au pauvre
25   Au pauvre diable pris
Dans le tourbillon de la rue, cette phrase
«Imbécile
Tu mériterais qu'on t'écrase...»

J'ai regardé l'homme
30   Qui traînait la voiture à bras
Il n'a rien dit, rien fait.
Il avait un pilon de bois
Il traînait une lourde voiture à bras
Il suait
35   Il avait au revers de sa veste sale
Une croix de guerre
Une médaille militaire.
C'était le héros d'hier
Un martyr qui suait
40   Un apeuré, un résigné encore
Dans le tourbillon de la rue
Une bête de somme encore
Dans le tourbillon de la vie.
Le riche eût bien fait de l'écraser
45   Ce pauvre —
      — là.

Rappel

Si tout à coup
Du sang perlait au long
Des meubles d'acajou
Et des murs et des tentures
5   De vos salons?

Si dans la nuit, tout à coup
Les lampes saignaient
Lumières, comme des plaies.
Si vos tapis gonflés, alors
10   Éclataient comme le ventre des chevaux morts?

Si les violons
Reprenaient
Les sanglots des hommes
Le chant final des hommes
15 . Aux fronts éclatés sur toutes les plaines du globe.

Si vos diamants, vos clairs diamants
N'étaient plus que des yeux
Pleins de folie
Autour de vous, dans la nuit
20   Tout à coup?

Que diriez-vous de la vie
Au squelette apparu
Immobile et nu
Seulement marqué
25   D'une croix de guerre?

Résultat

Par le chemin qui descend
De l'âge, coule du sang
Du sang d'homme et du sang de cheval.

Et les machines ont leurs gueules et leurs roues
5   Pleines de sang
Par ce chemin qui descend.

Vers la mer et le soleil couchant
De l'âge. Un sang de boue aigre
Du sang d'homme et du sang de cheval.

NOTES TO THE POEMS

Bold characters indicate the line number(s) in a poem, and specific words or expressions commented on.

EDMOND ADAM (1889–1918)

A roads engineer, Adam volunteered for active service in 1914. He was killed by shrapnel in August 1918. Adam was an adventurous writer, skilled in various manners. *Nisita* (1917) purports to be the translation of a set of sensual ancient Greek texts, and is reminiscent of Pierre Louÿs. His first published poems (1918) were mock translations from pre-Islamic Arabic. These appeared in the May issue of *Les Humbles*, a literary magazine hostile to the war. The June issue was to have contained four poems by him. Three were in German, and were suppressed by the censor, although they were comic poems and had nothing to do with the war. The fourth, heavily censored, was 'Coqs de combat', reproduced here. At the same time, Adam published satirical anti-war texts in mock late-medieval French, of which three are reproduced here. These, especially the first 'Rondeau', are interesting anticipations of what Resistance writers in the Second World War were to call 'contraband' poetry – texts which on the surface are unexceptionable, but which smuggle through a message for the alert reader. Although hostile to the war, Adam was no shirker. He was mentioned in despatches and decorated.

p. 1 'Coqs de combat'

Lines 83–102 and 109–28 were cut by the censor. According to Dorgelès, the poem was written in two nights, on the Somme, and captures 'l'accent de gouaille et de grandeur, de colère et de résignation qui fut réellement celui de la tranchée' (Dorgelès, pp. 203–5). Compare the battle poems of Apollinaire, Aragon, Garnier, Granier, Martel and Porché.
52–3 literally, 'Come, Fritz! Listen to the Frenchmen singing!'

p. 4 'Supplicque'

Published in the periodical *Soi-même*, juillet-août 1918. The second stanza expresses, however whimsically, the well-attested soldiers' unwillingness, or inability, to tell civilians about the realities of the trenches. Cf. Chennevière's 'L'étranger', Garnier's 'Il pleut encore...' and Martinet's 'Elles disent...' and notes.

p. 4 'Rondeau' ("Cil qui pourra...")

In *Soi-même*, 15 juin 1918. It is amazing that this direct attack on the French, as well as on the German, government should have got past the censor.

p. 5 'Rondeau' ("Ou mien censeur...")

In *Les Humbles*, juillet 1918. Adam's reply to the censor's suppression of his three poems in German. The censor's own response was to cut the last three lines of this poem! The uncensored version was printed in *Soi-même*, 15 décembre 1918, along with the poems in German.

GUILLAUME APOLLINAIRE (1880–1918)

The illegitimate son of a Pole and (probably) an Italian, Apollinaire did not become a French citizen until war had broken out. The uncertainties of his civil status may be a contributory factor in the turbulence of his work, by turns comic, maudlin, fragmentary, recondite, down-to-earth, traditional and revolutionary. All these qualities are found in his first volume of poems, *Alcools* (1913), but they also mark his fiction and plays. His writings on art were decisive in making known the work of Braque, Picasso and other avant-garde painters. Most of his war poetry is collected in *Calligrammes* (1918), and exhibits the same openness to the most diverse impressions, the same fluidity and play of simultaneities and, sometimes, the same classic qualities, as *Alcools*. *Calligrammes* also sees the introduction of picture poems, in which the plastic layout of the text has a variety of relationships with the linguistic sense, sometimes reinforcing it, sometimes extending or even contradicting it. A lover of Rhenish culture, Apollinaire was nonetheless convinced that in fighting the Kaiser's Germany he was defending civilisation and freedom against barbarity. However, his war poetry is for the most part free of the chauvinistic teutonophobe clichés of the time. Apollinaire was in the artillery at first. '2ᵉ canonnier conducteur', 'La colombe poignardée...' and 'Fête' were written during this period. In November 1915 he obtained a transfer to the infantry: 'Océan de terre', 'Merveille de la guerre' and 'Il y a' reflect the experience of the trenches. Apollinaire received a serious head wound in 1916. He could not return to the front, but the last two years of his life were very creative and influential, in many domains. He died in the influenza epidemic of late 1918, weakened by his wound and the lasting effects of poison gas. Much light is shed on Apollinaire's war experiences in his *Lettres à Lou*, which also contains a number of war poems addressed to her. All the poems given here are from *Calligrammes*.

p. 6 'Fête'

Written in early 1915. Apollinaire did not close his eyes to the terrible beauties that war could provide. There is no escaping the resemblance of bursting shells to fireworks. Typically, however, the image undergoes successive ambivalent metamorphoses. Compare and contrast Aragon, 'Secousse', Granier, 'Musique' and 'L'incendie', and Martel, 'Concert'. A soldier in Barbusse's *Le Feu* says: 'Ce serait un crime de montrer les beaux côtés de la guerre [...] même s'il y en avait!' – but Barbusse himself describes the 'airs de fée' of bursting shells (p. 227).

14 Saadi: a thirteenth-century Persian poet of love and spirituality, one of whose most famous works is *Gulistan* (*The Flower Garden,* often translated as *Le Jardin des roses* in French).

22 'mortification' can mean 'gangrene' as well as 'mortification'; the smell of gangrene is often likened to that of sweet flowers. Cf. Cocteau, 'La cave est basse...', ll. 75–99.

p. 6 'Océan de terre'

Written in December 1915. The shell-churned battlefield was often compared to a motionless sea. The waves are 'crayeuses' because the bedrock in Champagne, where Apollinaire was fighting, is chalk.
2 the eyes are perhaps streaming because of a gas attack.
3 the octopuses/squids are perhaps soldiers in their grotesque gas masks; but see l. 11, where they seem to be hostile as well: as so often, Apollinaire's image is ambivalent. Cf. (perhaps) Garnier's 'Des villes sautent', ll. 5–8.
11 l'encre: octopuses and squids squirt a dark 'ink' as a defensive screen if threatened; the ink here could be smoke, or gas.
12 cf. (perhaps) 'Merveille de la guerre', ll. 21–24.

p. 7 'Merveille de la guerre'

Written December 1915, published November 1917. A good example of Apollinaire's experience (or wish for experience) of self-multiplication; the sense of being himself and yet everywhere and in everything is a vital factor in his pre-war modernism, and is present in his war poetry as well. But there is a horrible tension between this affirmation of life and the constant possibility of grisly annihilation. The poem is thus a further variation on Apollinaire's representation of the ambivalence of the war.
5 legend has it that the constellation Coma Berenices was formed from the hair of the Egyptian princess Berenice; the plural 'Bérénices' expands the allusion to include Racine's tragic heroine Bérénice, a paragon of self-denying love.
16 the long pale mouths are the trenches dug in the chalky soil.
25 boyaux: communication trenches; but in this context there is a strong connotation of the literal meaning of 'boyau': bowel or gut.
30 i.e. after thousands of years, the myth of Icarus is a myth no more – people do fly, in aeroplanes.
34-35 in the manuscript of the poem, there was another line between these two: 'Chez les neutres et chez les ennemis'. Apollinaire's omission of this line in the published version is a good example of his self-censorship: the only recently naturalised French citizen wants to leave no doubt as to his patriotic feeling (see Peter Read, *'Calligrammes* et l'autocensure', *Que vlove?*, deuxième série, No. 6–7, avril–septembre 1983).

p. 8 'Il y a'

The art of modernist fragmentation and simultaneity in its simplest form, although – as the last line shows – the content is far from simple. To get the measure of Apollinaire's particular vision, one need only compare l. 2 of 'Il y a' with Granier's 'Le ballon'.
2 saucisses: sausage-shaped observation balloons.
6 Communication trenches ('boyaux') were commonly given names; how does this line relate to l. 2?
12 the pale blue of the army uniform was called 'bleu horizon'.
22 i.e. the military authorities would not let him post the inkwell he had made from a shell case.
28 sympathy for colonial troops out of their element in a cold, wet Europe, fighting a war that is nothing to do with them, is not infrequently expressed in soldiers' poetry. One of the best-known poems in *Calligrammes* is 'Les soupirs du servant de Dakar'. Cf. Aragon's 'Dominos d'ossements...'.

p. 9 'Exercice'

9 i.e. they had all left school in 1916.

p. 10 '2ᵉ canonnier conducteur'

A heavy gun is being hauled by two horses, one of them ('le porteur') ridden by the driver. The first calligram represents the trumpet that sounds reveille, or possibly a penis, or both. 'LA VXXXXX' = 'la vérole'; the missing final word, rhyming with 'aperçu', is 'cul'. The words were sung by soldiers to the tune of reveille.
9 sous-verge: the horse not being ridden.
The next three calligrams represent a boot, Notre-Dame de Paris and the Eiffel Tower. The juxtapositions and the unexpected scales are open to multiple interpretation, as are the relations between them and the three texts. The last calligram is presumably a shell rather than a bullet (see ll. 24, 26).

p. 12 'La colombe poignardée et le jet d'eau'

Written in late 1914. A 'colombe poignardée' is a 'bleeding-heart dove', which has a brilliant red splash on its breast. The people named in the fountain part of the calligram are all artists or writers. One thing to consider is the role of rhyme and rhythm, and their relation to the pictorial layout. Another is the function of the different typefaces.

LOUIS ARAGON (1897–1982)

Poet, novelist, critic, political activist, Aragon is one of the century's most prodigious and protean literary figures. His early poetry, collected in *Feu de joie* (1920) and *Le Mouvement perpétuel* (1926), is full of images of shimmering movement, often originating in alliterative or punning verbal play, and conveying a mercurial elusiveness of self. In the 1930s, Aragon became a militant Communist writer. During the Nazi occupation, he was one of the leaders of the intellectual Resistance, and is perhaps the best-known of all the Resistance poets. Even during the 50s and 60s, he continued to experiment with new styles. Aragon was called up into the medical corps in 1917. He was decorated and mentioned in despatches. There is, however, little or no explicit reference to his war experience in his early writings, because he believed that 'nommer la guerre c'était lui faire de la réclame' (Aragon 1964, p. 28). 'Secousse', however (dated August 1918), while in many ways typical of his early manner, does reflect a specific episode when, under heavy bombardment, he was three times buried alive by exploding shells. The other poems here are from *Le Roman inachevé* (1956), an autobiographical volume written partly in prose but mostly in verse. Here, the Aragon who had seen front-line action in both wars, and fought the horrors of the Nazi occupation, finally gives poetic expression to his Great War experience. One of the big questions raised by these poems is that of how far their representation of the war is affected by hindsight, or indeed by the poet's knowledge of other writers' representations of the war – for in 1956, not only had countless histories and volumes of memoirs been published about it, but the novels of Barbusse and Dorgelès, of Giono, Céline, the German Remarque and others had long since been part of the literary canon. Perhaps it was even harder in 1956 to

avoid cliché than it had been in 1916... Again, how may Aragon's poems
have been affected by the still-recent memories of the Second World War?
As he himself writes: 'la guerre c'était hier car quarante ans ça passe vite
sur la carcasse la guerre d'il y a quarante ans et cette autre qui vint en l'an
quarante est-ce que nous ne sommes pas tous les enfants de ce monstre
qu'on croit mort à chaque fois qu'il n'est qu'endormi n'avons-nous pas au
front de notre tête au fond de notre chair à notre nuque prête à ployer à
nouveau la marque du monstre dont nous sommes sortis la guerre' (*Le
Roman inachevé*, p. 56). Is it never too late, is one never too old, to write
about the war, or *any* war? (In recent years, this question has acquired a
new urgency, with serious novels being written about the war by people
born during or after the *Second* World War – e.g. Susan Hill, Pat Barker
and Sebastian Faulks in the U.K., Sébastien Japrisot in France.) At all
events, the war poems in *Le Roman inachevé* are, like some of those of
Garnier and Sauvage, as it were in dialogue with history-as-written, as
distinct from history-as-being-made.

p. 13 'Secousse' (*Feu de joie*)

Typical of the early Aragon in the ebullient assertiveness of a personality
seemingly confident that it can dominate or exploit even the most violent
dislocation and disorientation. Here, a shell or bomb has exploded and
thrown him into the air. Cf. the battle poems of Adam, Apollinaire,
Garnier, Granier, Martel and Porché. The chipper punning and phonic play
prepare the way for the understated, ambivalent irony of the last line.
1 BROUF: an onomatopoeic rendering of the explosion.
19 Gouttes d'Eau: the capitals perhaps signal one or more of the figurative uses of the expression 'goutte(s) d'eau', e.g. 'c'est une goutte d'eau
dans la mer', 'se ressembler comme deux gouttes d'eau', 'c'est la goutte
d'eau qui fait déborder le vase'; in jewellery, a 'goutte d'eau' is a 'drop'.
21 a 'terrassier' is a labourer or navvy who makes cuttings, embankments
etc. – any earthwork that alters the landscape.

p. 13 'Les ombres se mêlaient...' (*Le Roman inachevé*)

The first of a suite of six texts on the war and its legacy.
2 Verberie: a small town on the Oise, about 10 miles from Senlis.
19–20 i.e. an ambulance train.
30 un jeu du tonnerre: 'a brilliant hand' (he is playing cards).
32 compare Aragon's 'prophecy' (in fact, from l. 25) with e.g. Martinet's
'Médailles', or Sauvage's 'Le châtiment' and notes.
45–48 past and future are telescoped into present in this prophecy spoken
with hindsight; cf. ll. 25–32.

p. 15 'Dominos d'ossements...' (ibid.)

Immediately follows 'Les ombres se mêlaient...' in *Le Roman inachevé*.
Lines 1–24 allude to the war cemeteries. Lines 25–43 are an unusual
variant on the common themes of forgetfulness and the gap between the
soldier's and the civilian's experience of the war – see Garnier's 'La
veillée' and notes. These lines are especially poignant in the light of a
poem Aragon had written just after the Liberation of France in 1944, 'Les
survivants'; referring to the dead victims of Nazi oppression, this poem
ends: 'L'amour nous le gardons à ceux-là qui partirent / Et dont la voix n'a
plus d'écho que notre voix / Pardonner ce serait oublier leur martyre / Ce

serait les tuer deux fois' (*Les Lettres françaises*, 17.2.45, p. 3). Perhaps 'forgiving' is less of an issue as regards the Great War – but can one 'forget'?

10–15 Senegalese and Moroccans were among the colonial troops fighting in this European war. Cf. Apollinaire's 'Il y a' and notes.

21–22 near the remains of fort Douaumont there is a monumental ossuary, in which are kept the bones of thousands of unidentified soldiers, gathered from the battlefields of Verdun. Visiting the fort and the ossuary is a harrowing experience, even today.

44 several of the poems in *Le Roman inachevé* end 'Je me souviens', to some extent leading into the following poem.

p. 16 'Or nous repassions...' (ibid.)

The third poem in the series begun by 'Les ombres se mêlaient...'. Couvrelles (l. 3), some 10 miles from Soissons, is where Aragon was buried alive by shellfire on 6 August 1918. The sense of disorientation in this poem therefore compares doubly interestingly with that in 'Secousse'.

15 'jouer la belle' can mean either 'play the decider/tie-breaker' or 'do a runner, escape'; perhaps it means both here.

17 le tampon du colonel: 'the colonel's batman'.

22 J'ai-t-il: the 't-il' is a common colloquial interrogative marker; the 'il' is usually written 'y' (the marker would be more precisely transcribed as 'ti'); cf. 'ça va-t'y?', 'tu vas-t'y bien?', etc.

RENÉ ARCOS (1891–1959)

Like Jules Romains, Arcos was one of the pre-war Groupe de l'Abbaye (1906–1908), a community of writers and artists with unanimist sympathies, but hostile to the alienation forced on the individual by modern society. He was invalided out of the army early in the war, and became increasingly *persona non grata* with the authorities because of his anti-war journalism. *Pays du soir* (1920) is the passionate, sarcastic polemic of a militant unanimist pacifist. In his war poetry, however (not unlike Romains on occasion), Arcos usually exhibits a tension between, on the one hand, concern at the suffering of individuals and their moral responsibility for history and, on the other, a belief that the war may simply be part of some vast, amoral natural cycle or universal grand design. The poems are nonetheless clearly anti-war, and were not published until 1919, in *Le Sang des autres*. All the poems given here are from *Le Sang des autres*.

p. 17 'Ennemis'

13 the 'ange' is the soul, or the conscience. The proverbial phrase 'sans peur et sans reproche' was an epithet applied to an early sixteenth-century French knight, Bayard; cf. Chennevière's 'De profundis', l. 35, and Larreguy's 'L'épître au perroquet'.

p. 18 'Crise d'effectifs'

10–12 the areas round the towns of Laon, Soissons and Arras respectively (see map on p. xxvi).

22–23 Salonique, le Bosphore: allusions to Allied support of the Serbs against the Austrians and to the fighting in the Dardanelles.

p. 19 'La tragédie des espaces'

Is the rockpool simply a microcosm? Arcos returns in several poems to the theme of universal conflict transcending human wars; cf. also 'Printemps (1917)' and Jouve's 'Ce qu'est un homme grand...'.
29 not biological warfare in the modern sense, but the struggle for survival between species.
34 the destruction of churches and cathedrals by German artillery was frequently used as a peg on which to hang patriotic verse. Arcos' use of the image is different, however.

p. 20 'Le doux Agneau...'

Blaming the slaughter of youth on thoughtless or cynical fathers was a topos in anti-war polemic (cf. Chennevière's 'De profundis'). Arcos sets it in the mythico-religious context of Christianity; cf. Garnier's 'Des villes sautent'.
4 masse: mace, sledgehammer.
10 Pilatus: Pontius Pilate; usually 'Ponce Pilate' in French.

p. 20 'Printemps (1917)'

Another variant on the individual/universe theme; cf. 'La tragédie des espaces', Martel's 'Faiblesse' and, perhaps, Delarue-Mardrus, 'Clair de lune'.

NICOLAS BEAUDUIN (1881–1960)

Before the war, Beauduin was an avant-garde writer, influenced by Marinetti's Futurism and by the exciting possibilities for simultaneism suggested by the cinema. He published a *Manifeste du paroxysme* in 1911. In his war poems, however, he abandoned these experiments and developed an incantatory style in traditional verse forms which was to remain his for the rest of his career. After the war, this incantatory element is found as a musicality reminiscent of Régnier and Mallarmé, but in the poems of *L'Offrande héroïque* (1915) it is more of a litanic oblation to France. Beauduin is one of those who saw France as chosen by God to save culture and civilisation. Many of the poems bear the names of parts of the Mass. There is the inevitable 'Anathème au peuple allemand' (pp. 81–88). In some poems, France herself is raised to quasi-divine status; one of the poems entitled 'Oraison' (pp. 42–44), addressed to France, is sometimes reminiscent of the Magnificat and the Lord's Prayer: '[...] France, je clamerai ta gloire et tes louanges / Et je t'adorerai comme on adore Dieu [...]. O France, que ton nom chéri soit sanctifié, / Que ton jour de bonheur et de victoire arrive!' Beauduin's poems are included here not only as representative of this widespread view (shared in this anthology by Charasson and Claudel) but also because he was actually a soldier. It is one thing for the civilian Claudel to invent the soldier protagonist of 'Tant que vous voudrez, mon général!', but it is quite another for a soldier under arms fervently to offer himself for sacrifice. Not only that, but the book is

dedicated to Maurice Barrès, among others. Beauduin's poems therefore
compare interestingly not only with those of Charasson and Claudel, but
also with those of other soldier-poets: Martel and Porché, and perhaps
Granier, who seem to have accepted the war, however unwillingly, but also
those who were hostile to it, like Adam, Chennevière, Garnier, Sauvage
and, perhaps above all, Larreguy, whose memorable attack on Barrès in
'L'épître au perroquet' speaks for hundreds of thousands of soldiers.
Larreguy, of course, was writing in 1916, whereas Beauduin's book had
appeared in 1915 – whether his fervour survived Verdun, the Somme and
1917 seems doubtful (see N. Sloan Goldberg (1993; pp. 294–5) for a poem
of disillusion, 'Constat', written in 1917). All the poems here are from
L'Offrande héroïque.

p. 22 'Action de grâces'

An 'action de grâces' is an act of thanksgiving to God. France as Mother
was a topos of the time. Compare Porché's *Poème de la tranchée*,
especially 'Le lendemain', ll. 35–58, for a very different treatment of the
same theme.
9ff the litanic repetition of 'Bienheureux sont tes fils' is an echo of the
Beatitudes (Matt. 5.3–10). It may also be an allusion to Péguy's 'Prière
pour nous autres charnels' (from *Ève*, 1913), which begins: 'Heureux ceux
qui sont morts pour la terre charnelle, / Mais pourvu que ce fût dans une
juste guerre. / Heureux ceux qui sont morts pour quatre coins de terre. /
Heureux ceux qui sont morts d'une mort solennelle', and continues in like
vein for another six quatrains. Cf. Claudel's 'Le précieux sang', Martinet's
'Musique militaire' and Noailles' 'Héroïsme'. Péguy was an unorthodox
Catholic socialist, an internationalist whose freedom-loving God favoured
the France of the Revolutionary tradition, the bringer of Liberty to an
enslaved world. Killed in action in 1914, Péguy instantly became a symbol
of patriotic heroism.

p. 22 'Credo'

The Credo is the Apostles' Creed. Beauduin's creed here is a quasi-
religious devotion to France. How clear are the articles of this faith? How
easy would it be to defend Beauduin against charges of blasphemy?
24 Francs: the Franks, who settled in the Paris basin in the fifth century,
gave their name to France. The adjective 'franc', in the sense both of 'free'
and of 'frank', also derived from their name. Ironically, they were a
Germanic people. That France, the land of the frank and the free, should be
defending Mediterranean values (ll. 15–16) against what nationalist ortho-
doxy was pleased to call Germanic barbarism is a nice glimpse of some of
the complexities and absurdities of nationalism.

HENRIETTE CHARASSON (1884–1972)

Throughout her career, Charasson's poetry was for the most part a limpid,
confident celebration of domesticity, motherhood and childhood. The
apparently simple Christian faith that informs her poetry is expressed in
'versets' that owe a lot to Claudel, who admired her work. She is not a
complacent writer, however, as is clearly seen in *Attente*, a book of war
poems written between 1914 and 1917, in which she makes varied and

resourceful use of the 'verset' to express a gamut of emotions from hope to fear to uncertainty and even, sometimes, religious doubt and revolt. Although the Germans are (naturally) a 'race maudite', Charasson's patriotism is free of strident chauvinism. The volume as a whole is dedicated to her brother Camille, as are a number of the poems. The poems are those of a woman, a woman who appears to have no option but passively to wait – to wait while others decide the war, to wait for news of her brother and of friends who may be dead or in captivity. The extraordinary second half of the book, 'Le voyageur', seems to be addressed to an imaginary absent soldier with whom she has a relationship that is a quasi-erotic substitute for the one with her vanished brother. Charasson's poems compare impressively with those of the Christian poets Beauduin and Claudel, as well as furnishing an individual slant on the place of women in the war as evoked by Delarue-Mardrus, Noailles, Périn and Sauret. The poems given here are from the first half of *Attente*.

p. 25 'Peut-être que ce sera très long...'

Dated January 1915, by which time it was all too clear that the troops had not, after all, been 'in Berlin by Christmas'.

p. 27 'À Cam'

Dated November 1916. Camille was posted missing in September 1915.

GEORGES CHENNEVIÈRE (1884–1927)

Chennevière was a close friend of Jules Romains, and collaborated with him in developing the notion of unanimism and in writing the *Petit traité de versification* (see notes to Romains). Chennevière's pre-war poetry (collected in *Poèmes*) often expresses the joyous rediscovery of self in communion with others. Sometimes, however, there is friction between the uniqueness of self and the reality of the 'unanime' which contradicts it. This tension is especially clear in the war poems gathered under the title 'À part' in *Poèmes* (now most easily found in *Œuvres poétiques*). These poems appear to reflect Chennevière's experience in the infantry. In 1916–1917, he and the composer Albert Doyen conceived the idea of big popular ceremonies, in which poetry and music would unite the crowd in a secular ritual. Of the *Cycle des Fêtes*, which was to comprise a different multi-media celebration for each month, only parts were completed. It was during the war that Chennevière wrote most of *L'Appel au monde* (1919), three long poems in which he assumes the role of a kind of prophet and priest, castigating those responsible for the war and urging humanity to create a new world of harmony and progress. The rhetorical vituperation and enthusiasm of these millenarian socialist poems is often very impressive, but the relentless affirmation may imply an awareness of the fragility of the hopes expressed. These poems are unfortunately too long to reproduce in their entirety, and are most easily found in *Le Cycle des Fêtes*. Chennevière's anti-war poems compare especially with those of Adam, Arcos, Garnier, Jouve, Larreguy, Martinet, Romains and Sauvage, but 'De profundis' stands as a gloss on almost every poem in the anthology, particularly thought-provoking in view of the wane in revolutionary socialism in recent years.

p. 29 'L'étranger' (*Poèmes*)

Compare this expression of the gulf between the soldier and even his near-est and dearest with Adam's 'Supplicque', Garnier's 'Il pleut encore...' and 'La veillée', Martinet's 'Elles disent...', and, for a female slant, the poems of Cécile Périn. Garnier's 'Nostalgie de la guerre' is an anguished post-war variation on the theme. Cf. also Aragon, 'Dominos d'ossements...'.
2 la reine mort: 'Queen Death'. (In *Œuvres poétiques*, this is misprinted as 'la reine morte'.)

p. 30 'De profundis' (*Le Cycle des Fêtes*)

Written for the most part in 1917, but not published until 1919, in *L'Appel au monde*. The poem is much too long to reproduce in full, but the extracts give an idea of the typical soldier's anger at those he considers responsible for the war and at people's eagerness to forget its realities. The expression, of course, is less typical: Chennevière is trying to do what Larreguy dreams of doing in 'Le Drapeau de la Révolte' – to give a voice to the dead, the inarticulate and the resigned. Although not grandiloquent, the poem is thoroughly oratorical, demanding passionate public performance. The first ten lines given here are actually the opening passage of Chennevière's text; the rest amounts to just over a quarter of the poem as a whole.
32 the defeat at Sedan resulted in Napoleon III's surrender in the Franco-Prussian war of 1870; the victory on the Marne was what stopped the German advance on Paris in 1914.
35 sans reproche et sans peur: cf. Arcos' 'Ennemis' and note.
65 Procurateur: Pontius Pilate; cf. Arcos' 'Le doux Agneau...'.
93–95, 120 the allusion is to the doubter, Thomas (John 20.24–28).

PAUL CLAUDEL (1868–1955)

A professional diplomat, Claudel was also a dramatist who revolutionised poetic theatre in France, and an eloquent and innovative poet. He is one of the major Christian writers of twentieth-century France. His Catholicism is an odd mixture of individual quirkiness and reactionary intolerance. His plays often show suffering lovers whose self-denial is part of the divine plan for world salvation. At its best, Claudel's 'verset' is a flexible, powerful development of free verse into something like biblical verses, based on the insight that written prose, like orthodox verse, is an artificial distortion of natural speech rhythms. Nor is Claudel afraid to introduce 'incorrect' colloquial syntax, preferring expressive vigour to bookish con-trivance. As a diplomat, Claudel spent most of the war abroad. His war poetry is both typical and atypical. It is typical of the extremely common patriotic Christian poetry in which France is seen to be uniquely favoured of the Lord and central to His plan to save the world from the Teutonic Antichrist; atypical in that such poetry was usually written in mediocre, old-fashioned verse. One question to consider in reading Claudel's war poetry is that of the relation between reactionary content and innovatory expression. Another question is that of just who it is who is so ready to sacrifice himself (or herself?) for the cause of Truth and Justice embodied in France. The obvious comparison is with Beauduin's poems, but those of Charasson are also helpful in getting Claudel into perspective. Claudel's Great War poems were collected as *Poèmes de Guerre* in 1922. They were republished together with his Second World War poems in 1945, under the title *Poèmes et Paroles durant la guerre de trente ans.*

p. 33 'Tant que vous voudrez, mon général!'

Written and first published in 1915. The enemy is on French soil, but France is likened in its awesome power to the Holy Spirit. It is worth asking whether the mixture of demotic and litanic in the poem demeans the poet or dignifies the speaker (a soldier in the trenches). Would the poem's impact be any different if it had actually been written by a soldier (compare e.g. the poems of Beauduin and Porché)?

4 i.e. the 377th infantry regiment.

5 in 'correct' French: 'où nous étions vivants'.

6 the pre-war world seems a distant dream.

8 Y a: Il y a.

13 avec moi que le travail à faire: i.e. '[il n'y a] plus rien avec moi que le travail à faire'.

16 cette chose: a grenade (cf. l. 19).

17 un cran à faire à sa ceinture: cf. 'se serrer la ceinture', 'tighten one's belt' (i.e. to do without food, to accept shortages willingly).

20 the bayonet is straighter and more (blood)thirsty than his own tongue.

30, 31, 34: these lines are addressed to the Germans ('ceux d'en face', l. 8).

31 the war was widely seen as an unprecedented abuse of science and technology. The first poison gas was used in 1915. Cf. Jouve's 'Le tank'.

p. 35 'Le précieux sang'

Written in 1915, first published in 1916. Contrast this view of the Eucharist and Christ's crucifixion with Garnier's 'Des villes sautent'; cf. also Larreguy's 'Le civil dit...'

1–2 in the Catholic Mass, the communicants themselves receive the host, but the priest drinks the wine on their behalf.

3–6 le Verbe: the Word (see John 1.1–5). The idea is that the Creation was an act of utterance by God, by which He ('l'Ineffable') became self-awareness; language is accordingly the essential mediation between human beings and God.

21 Heureux qui: the formulation is modelled on the Beatitudes ('Blessed are they who...' etc.; see Matt. 5.3–10). Cf. Beauduin's 'Action de grâces', Martinet's 'Musique militaire' and Noailles' 'Héroïsme'.

30 the rivers of blood and water from the wounds of the crucified Christ.

JEAN COCTEAU (1889–1963)

Cocteau is best known for his plays, films and novels, but he always called himself a poet, and he published several volumes of poetry. To some, he is a mythomaniac poseur; to others, a ceaselessly inventive leader of the avant-garde for twenty years or more. Many of his protagonists reflect this ambiguity; refusing norms of behaviour demanded by society, they seek a role to play, consciously or unconsciouly exchanging one servitude for another. Cocteau was aware of a similar ambiguity even in his attitude to the war; having shown some celebrities round the trenches in 1916, he writes: 'Dès qu'on a le temps on se précipite en dilettante où on se plaignait d'être à son poste' (Cocteau 1989, p. 248). Medically unfit for active service, Cocteau worked with a volunteer medical unit in 1914, witnessing the destruction of Rheims at first hand. Eventually, he joined a Red Cross unit and was posted to Coxyde, near Nieuport (Belgium), in December 1915. Apart from spells in Paris and Boulogne, he stayed there until posted to the Somme in June 1916. From the end of July 1916 the story is unclear; he certainly had a desk job at Military Headquarters in Paris, and was on sick leave from July 1917 until the end of the war. Cocteau did write some well-turned jingoistic verse in 1914 and 1915. The poems given here, however, are more typical of his wartime styles and of the value that, throughout his life, he claimed for poetry. Here is how he formulated that value in 1916, in a letter from the front: 'Le cataclysme inerte endort avec ses pavots rouges mais le poète ouvre l'œil et compose ses mensonges plus vrais que les films' (Cocteau 1989, p. 119). *Le Cap de Bonne-Espérance* (1919) was written in part while Cocteau was at the front, and finished in 1917. It is often reminiscent of the fragmentariness and simultaneism of Apollinaire's poetry. *Discours du grand sommeil* (1924; written in 1916–1918) is entirely inspired by Cocteau's experiences at the front. But the anger and protest are typically understated or implicit, often highlighted by a disconcerting, and equally typical, playfulness. Illuminating, moving and often funny variations on the themes and techniques of Cocteau's war poems can be found in two very different sorts of text: his letters from the front (see especially *Lettres à sa mère*) and his autobiographical novel *Thomas l'imposteur*.

p. 37 'Roland Garros' (*Le Cap de Bonne-Espérance*)

Garros was an aviation pioneer. He took Cocteau up for flights in 1914. He made the first flight across the Mediterranean, in September 1913. In 1914–1915, he collaborated with Morane and Saulnier in developing a deflector which permitted a machine-gun to fire through the airscrew arc of an aeroplane without damaging the propeller. Shot down in 1915, he escaped from prisoner-of-war camp in 1917. He was killed in October 1918, after the poem was written, but before it was published. The references to marble (l. 1), Christopher Columbus (l. 3), Jules Verne (l. 14), Roland (l. 26), Tristan (l. 27) and the Valkyries (l. 29) help to confer legendary or mythical status on Garros as explorer.

4 Fréjus: a resort on the Mediterranean coast, on the railway line (cf. 'dix minutes d'arrêt'). It was from near Fréjus that Garros took off for his trans-Mediterranean flight.

6 Vidal-Lablache: P. Vidal de la Blache was the author of the standard geography textbooks used in schools. The idea here is that Garros was weaned on geography books; cf. the start of Baudelaire's poem 'Le voyage'.

7 an image of sunrise?

8 Garros was from Réunion. His exotic origins are reflected in much of the imagery of the poem.

24 Ma Paloma: this could be an allusion to any of a number of popular songs, redolent of romantic Latin American exoticism; one, 'La Paloma', begins with the protagonist sailing from Havana. The Spanish word 'paloma' means 'dove' – cf. l. 34 and note.

26-27 Roland, Tristan: Roland is the hero of the great twelfth-century epic, *La Chanson de Roland*; the last survivor of a heroic battle against the Saracens, Roland dies from blowing his horn to summon help from Charlemagne. Several mediaeval romances recount the love of Tristan and Yseut

(Isolde, in German). Cocteau's allusion here is to Wagner's *Tristan und Isolde*, at the time the most recent reworking of the legend, which assimilates it to Germanic myth. At the start of Act 2, fading hunting-horns signal the King's departure, which permits the lovers to meet; later, the horns announce the King's return, and Tristan becomes the quarry. Wagner had a great influence on French poetry in the last thirty-five years of the nineteenth century.

28 is 'chasse' the verb or the noun, or both? An 'avion de chasse', or 'chasseur', is a pursuit plane, a 'fighter'.

29 in Norse myth (popularised by Wagner in *Die Walküre* and other operas), the Valkyries were winged maidens who flew over the battlefield, choosing those to be slain and bearing the heroes' souls to Valhalla.

30–32 a reference to firing the machine-gun through an airscrew fitted with a deflector mechanism. The 'astre d'air et de bois' is the wooden airscrew, which rotates so fast that it looks like a transparent disc.

34–37 a reference to Garros' first use of the deflector mechanism in action, in April 1915. The Taube ('dove') was a type of German aircraft. An English version of Garros' letter, from which this extract is taken, is quoted in Steegmuller, p. 128.

p. 38 'La cave est basse...' (*Discours du grand sommeil*)

Discours du grand sommeil is presumably so called because the war was so like a dream; cf. also the letter to Anna de Noailles quoted above, and this exclamation in a letter to his mother: 'Faudra-t-il *toujours* vivre dans ce rêve, dans cet anormal qu'on supporte comme une parenthèse mais qui arrange tout le monde et à quoi l'habitude, la bêtise, l'arrivisme, donnent un aspect *définitif*' (Cocteau 1989, p. 254). The dreamlike evocation of sleeplessness in this poem is an interesting variation on both themes. Cocteau writes about some of the things mentioned in the poem in *Lettres à sa mère* – see pp. 205, 213, 252. He was billeted in an abandoned, shell-wrecked house: does this information affect one's reading of the poem?

6 acétylène: a toxic gas, used for lighting.

8–9 l'almanach Hachette: a periodical compendium of 'useful information' (something like *Pears Cyclopaedia*).

20 polypes: tumours on mucous membrane; Cocteau probably means adenoids, for which the usual word is 'végétations (adénoïdes)'. 'Polype' can also refer to coelenterates, such as sea anemones or corals; this connotation continues the underwater imagery begun in l. 12.

24 'faire la planche' means to float on the water by lying straight out on one's back.

36 le major: medical officer, M.O.

48 the telephone announces wounded men at 'la Vache crevée', a nearby farm.

52 an ironic reminder of Joffre's famous words when hopes for a quick victory had evaporated: 'je les [sc. the Germans] grignote'. This confident pronouncement was to ring ever more hollow as French losses mounted during 1915.

56–67 compare this metaphorical description of the cemetery with the one in *Lettres à sa mère* (p. 205); cf. also *Thomas l'obscur* (p. 187). 'Le pont' (l. 62) is the deck of the metaphorical ship.

72 the chloroform is a reminder of Cocteau's medical work, several times evoked in *Discours du grand sommeil*; it also connotes the chlorine

(French 'chlore') used in poison-gas shells; contrast the scent of roses in ll. 75ff.

94 the comma does not have a syntactic function, but a rhetorical one: 'elle' is stressed, to contrast with 'ils' (l. 91).

96 the comma indicates that 'hypocrite' qualifies 'grâce'; 'funèbre gour-mandise' is the direct object of the verb 'métamorphose'.

p. 41 'Tour du secteur calme' (ibid.)

As a rule, extracts from poems are not used in this anthology. However, while 'Tour du secteur calme', a long and powerful poem, does show similar qualities to the other poems from *Discours du grand sommeil* given here, it is different in its greater degree of naturalism – less 'mensonge' and more 'film', perhaps. Although it is presented as a single text, it does in fact consist of a number of discrete sections. Each certainly gains from comparison with the others, but that is no truer of the section given here than of any other poem taken from any collection of poems.

4 la paroi: the side of the trench through which the stretcher-party are carrying the wounded officer.

14 l'ambulance: field hospital.

16 marmites: military slang for big shells.

31 Gabin: the stretcher-bearer leading the way; cf. l. 59.

34 the trenches were habitually given names; cf. Apollinaire's 'Il y a', l. 6.

35 'the enemy can see along it'.

36 'there've been five men killed already'.

37, 49 choc: not a shock, but a jolt or jerk.

54 i.e. 'au poste de secours', the first-aid post.

p. 43 'Délivrance des âmes' (ibid.)

1 in a letter, Cocteau refers to a French listening-post in the Éclusette sector as being three metres from a German one (*Lettres à sa mère*, p. 180).

8–9 Death is like a horseback acrobat in a circus, jumping through hoops.

28 the literal meaning of 's'embusquer' is 'to lie in ambush', but in the Great War it acquired a derogatory figurative sense, something like 'to shirk', 'to skive', 'get oneself posted away from danger'; 'de guerre lasse' is a figurative expression meaning 'for the sake of peace and quiet', 'giving up the struggle' – here, the context gives it back its original literal meaning as well. What is the effect of the double meanings in this line?

29 tour: an illusionist's or conjuror's trick (cf. l. 35, 'escamoteur').

33 'n'y voir que du feu' is another figurative expression, meaning 'to be completely taken in', as in 'ils n'y verront que du feu' ('they'll never suspect a thing'). The origin of the metaphor is the idea of being dazzled by a flame or flash. There is a grisly irony in the appropriateness of the expression to the context.

35–36 there is an unorthodox grammatical dislocation in these lines, coinciding with the enjambement. The speaker begins by addressing the enemy ('ton'), and then abruptly switches to addressing the souls ('vous [...], colombes') liberated by sudden death from their bodies. The comma after 'revolver' should not mask the enjambement: it makes the meaning clear, and is an indication of how to read the lines, with a stress on 'ton' and 'vous' (as if the speaker looks at each in turn), and an expectant pause after 'revolver'.

In the original edition of *Discours du grand sommeil*, and in the Gallimard 'Poésie' edition of 1967, this poem has four extra verses, between ll. 26 and 27 of the text printed in this anthology. I have omitted them, because the poet's leaving them out from the *Œuvres complètes* text was presumably deliberate. I reproduce them here, so that readers can decide how felicitous or not Cocteau's omission of them was: 'J'en ai perdu des camarades! / Mais Jean Stolz le plus spécial. / Un vrai mort est d'abord malade... // Je ne l'avais pas vu, je crois, / Depuis qu'il jouait à la guerre, / Et moi je jouais au cheval. // Mon dernier souvenir de Stolz / Est en zouave de panoplie. // Je lis son nom sur une croix. / Et, d'après ce nom que je lis, / Je vois l'enfant de naguère / Déguisé dans une tombe.'

LUCIE DELARUE-MARDRUS (1880–1945)

As well as a poet and novelist, Lucie Delarue-Mardrus was a talented painter and a (less talented) violinist. Her pre-war poetry is characterised by an exultant physical and spiritual communion with the seasons and the natural world in general, and with her native Normandy in particular, accompanied by a fierce sense of being a nomadic loner, a dreamer and poet misunderstood and even rejected by others. So, as well as her delighting in the smell of apples or horse-rides through the surf, she can write, in 'L'angoisse' (*Souffles de tempête*, pp. 115-16): 'Ce n'est pas sur cette planète / Que sont ma joie et ma douleur.' For the first few months of the war, she worked as a Red Cross nurse, but found the work too tiring on top of her journalism. After the war, her independence was to take on an additional dimension, an unmilitant but emotional feminism. Her war poems are interesting refractions or adumbrations of these themes. At the outbreak of war, the loner becomes a typically enthusiastic civilian patriot, confident of victory, and the beauties of nature are an inspiration to valour. Gradually, the tone changes: the war, while necessary, is a threat to humanity; and the beauty of nature, though often a consolation and even an escape, is also a reminder of the thousands of men who will never return to enjoy it. Throughout, the women at home seem to experience particularly acutely the civilian's ambivalent relation to the men in the trenches. All Delarue-Mardrus' war poems are included in *Souffles de tempête* (1918). Part 3 of her *Mes mémoires* (pp. 190–235) is a fascinating account of a well-to-do middle-class lady's war.

p. 44 'Aux gas normands'

Delarue-Mardrus regularly writes 'gas' instead of 'gars'. This poem is included as an example of a type of poem very common at the start of the war. Using seven-syllable lines is less typical – what is the effect?
27–28 in both France and Germany, in August 1914, the men marching off to the war were given flowers by girls in the cheering crowds; they carried the flowers attached to their rifles or their kepis; cf. Périn's 'Les hommes sont partis...', l. 4, and Rostand's 'Les ruches brûlées', l. 77.

p. 45 'Les gardiens'

Probably written at the start of the war. Many poets wrote of the sudden awesome responsibility thrust onto the soldiers' wives, especially farmers' wives. Is the poem wishful thinking or confident affirmation? Apart from

being civilians, what do the non-combatants in the poem have in common? Compare 'Veillée d'armes' in this respect. See also 'Nocturne à Paris' and notes.
2 if the war is an 'ouragan masculin', is there any reason to feel sorry for the (male) soldiers? How does the image relate to the rest of the poem and to 'Aux gas normands' and 'Régiments'? Cf. also Cécile Périn's 'Vos fils de dix-huit ans...'.

p. 45 'Nocturne à Paris'

The streets of Paris were practically blacked out, as an air-raid precaution. In the reference to the darkened Louvre, there is a connotation of Paris the 'ville-lumière', the centre of French civilisation, radiating its enlightenment to the corners of the earth (cf. Beauduin's 'Credo'). In 'Zeppelins' (*Souffles de tempête*, pp. 215-16), this idea is explicit. Addressing the airships on their night bombing raids, the speaker issues a challenge: 'Empêchez l'âme de la France / D'être malgré tout ce qu'elle est. / [...] Notre lumière a des éclats / Invisibles dont vit le monde. / Ce feu-là, malgré votre ronde, / Allez! Vous ne l'éteindrez pas!' Delarue-Mardrus' anticipation of the 'insolent éclat' (l. 19) of victory celebrations compares interestingly with others' reactions to the victory itself – see e.g. Jouve's 'L'homme qui serait mort...' and 'Ce qu'est un homme grand...', Martinet's 'Lundi 11 novembre 1918' and Noailles' 'La Paix'.
3, 10 the Louvre, now a huge museum, was originally a royal palace. It was begun in the thirteenth century, but much of the present structure was added by Louis XIII (1601–1643).

p. 46 'Régiments'

Cf. Noailles' 'À mon fils' and Périn's 'Vos fils de dix-huit ans...'.

p. 46 'Clair de lune'

The moon is commonly used in poetry of the Great War to exemplify the impassive detachment of nature from humanity's self-destructive disputes. Cf. also Arcos' 'Printemps (1917)'.
4 Delarue-Mardrus was from Honfleur, at the mouth of the Seine; many of her poems refer to the town or the estuary.
17 **chère automne**: 'automne' is normally masculine.

p. 47 'Toussaint'

'La Toussaint' is All Saints' Day (1 November), inseparable in many people's minds from 'le jour des morts' (2 November), when the custom in France is to commemorate the dead (not just war dead) by prayer and by putting chrysanthemums on their graves. The poem compares interestingly with Delarue-Mardrus' prose description of 2 November 1915 in *Mes mémoires*, pp. 203–4.
5 the *Dies Irae* (Day of Wrath) is a medieval Latin hymn, describing the destruction of the world at the Last Judgement. At the time when Delarue-Mardrus was writing, it was used in the Mass for the dead. It begins: 'Dies irae, dies illa, solvet saeclum in favilla' (A day of wrath, that day; the ages shall crumble in ash).
15–16 a typical sting in the tail; cf. the end of 'Clair de lune'.

p. 48 'Veillée d'armes'

The first of eight poems, dated April 1918, which together constitute 'La grande offensive'. Compare 'Les gardiens'; see also 'Nocturne à Paris' and notes. The 'monstres volants' (l. 31) are either big aeroplanes or airships.

NOËL GARNIER (1894–1931)

Several times wounded in battle and decorated, Garnier expresses his sometimes visionary opposition to the nightmarish war in a mixture of love for his dead mother, whose Christian faith has been rendered obsolete by the war, of affection and pity for his comrades (theirs is the true crucifixion), and of angry attacks on *bourrage de crâne*. Most of these poems were published in 1920, in *Le don de ma Mère*. In his preface to this volume, Barbusse wrote: 'C'est le dialogue de la vraie vie avec la vraie mort, de la chose qui frissonne avec le froid des choses et l'immobilité de tout. C'est le livre de la défaite des hommes à travers les vagues défaites et les vagues victoires des obscures puissances qui les mènent.' (After the war, Garnier worked on Barbusse's socialist journal, *Clarté*.) More wartime poems, and poems on the ambivalent aftermath of the war, were published in *Le Mort mis en croix* (1926; like others of Garnier's post-war works, this was published under the name Noël-Garnier); in a section entitled 'L'oubli des morts', there are a number of poems about war widows gradually 'yielding' to life and love, and others expressing Garnier's own sense of guilt at turning towards life and love and forgetting his dead comrades.

p. 49 'Il pleut encore...' (*Le don de ma Mère*)

Dedicated 'À mon père, dont les lettres «maternelles» étaient toujours du «beau temps»'. A moving variant on the familiar theme of the gap between front-line soldiers and civilians. Often, the soldiers did not even try to describe their (inexpressible?) experiences to the people at home (cf. Adam's 'Supplicque', Chennevière's 'L'étranger' and Martinet's 'Elles disent...' and notes, but also Sauret's 'Avertissements'). The poem itself is an example of 'des mots de tous les jours' (l. 22), reminiscent in its simplicity of a poet like Francis Jammes; is there any art in Garnier's artlessness here?

p. 49 'Des villes sautent' (ibid.)

Typical of Garnier's visionary presentation of the modern horror in the context of religion, myth and legend, both past and future. Contrast Claudel's use of the Eucharist and crucifixion in 'Le précieux sang'. The poem is dedicated 'Aux soldats'. Compare Marc de Larreguy's generalised expression of socialism in 'Le Drapeau de la Révolte'. For the nightmarish grotesqueness, compare and contrast Apollinaire's 'Océan de terre'.
6 the Cyclops were, in Greek myth, one-eyed giants. The best-known is Polyphemus, who was blinded by Odysseus.
11 the slave or serf is the soldier.
16 cf. Sauvage's 'Course pour vivre', ll. 46, 75.
23 Madeleine: Mary Magdalene.

32 Antigone was Oedipus' daughter, and his guide in his blindness. She disobeyed the decree of her uncle Creon, king of Thebes, that her slain brother Polynices should not be buried. She was punished by being immured alive, and took her own life.

p. 51 'La veillée' (ibid.)

Compare this treatment of civilian escapism with Romains' 'Je remercie la demeure...', Martinet's 'Elles disent...', Périn's 'Marché', Sauret's 'La révolte', Sauvage's 'Rappel' and the poems of post-war forgetfulness by Garnier himself.
48 les gaudes: a cornflour confection.

p. 52 'Nostalgie de la guerre' (*Le Mort mis en croix*)

One of several poems in which the lover cannot shake off memories of the war. A variation on the theme of the gap separating soldiers from civilians; cf. 'Il pleut encore...' and note, and Aragon's 'Dominos d'ossements...'.

p. 53 'Consentement' (ibid.)

All but the last line of the poem is addressed by a war-widow to her dead husband. The last line is addressed to her new lover.

ALBERT-PAUL GRANIER (1888–1917)

A solicitor in Brittany, Granier joined the artillery when war broke out. He was killed in action as an artillery observer in aircraft. *Les Coqs et les vautours* is his only published poetry. Although showing the influence of Verhaeren, and sometimes of Laforgue, these are markedly individual poems, expressing a fascination with, and revulsion for, the 'aesthetic' experience of the war. They are not the poems of a jingoist or militarist, but of a lover of ideas and the arts who is now constrained to hate; the first poem in the volume, 'Haïr', ends: 'Haïr! Haïr! mot dur à l'âme! / Haïr, il nous faut haïr! / Haïr jusqu'à l'enthousiasme!' Granier nonetheless often makes clear his commitment to the defence of his country.

p. 54 'Les mortiers'

One of a number of poems, mostly longer than this one, in which Granier describes columns of horse-drawn artillery. Cf. Apollinaire's '2e canonnier conducteur'.
18 the guns have covers over their muzzles to keep the rain and dirt out, and they are lashed to the limbers to stop them sliding off.

p. 54 'Musique'

Cf. 'L'attaque', Martel's 'Concert' and Martinet's 'Musique militaire'.

p. 56 'Le ballon'

The balloon is an enemy observation balloon, probably a 'saucisse' (cf. Apollinaire's 'Il y a').
8 many writers remarked on the despoliation of France's forests by the war, whether by explosives or for matériel. Cf. Arcos, 'Crise d'effectifs'.

p. 56 'L'incendie'

A fire from hell – but so beautiful. Compare and contrast 'Le feu'.
4 diable: jack-in-the-box.

p. 57 'Nocturne'

One of several 'Nocturnes' in *Les Coqs et les vautours*. A striking contrast
with Chopin and Whistler, and, for that matter, with Delarue-Mardrus'
'Nocturne à Paris'. Written in an observation post on the Meuse.

p. 58 'L'attaque'

Dated 21–24 February 1916, this poem actually describes the first four days
of the battle of Verdun as experienced at the Bois des Fosses and the Bois
d'Hardaumont, north and north-east of Verdun respectively. Both had
fallen to the Germans by 26 February. At the time of writing, of course,
Granier had no idea that the battle would last until December. The poem
still makes a striking contrast with a poem like Noailles' 'Verdun'. For the
treatment of music, cf. 'Musique' and Martel's 'Concert'. For descriptions
of battle, cf. Adam, 'Coqs de combat', Apollinaire, 'Océan de terre',
Aragon, 'Secousse', Martel, 'Le Dur' and Porché, *Le Poème de la tranchée*.
30 'Canneler' means to hollow longitudinal grooves (fluting) along a pillar.
41 75mm and 120mm guns.
51 clefs: the tuning keys on the kettledrums.
52 le *la*: the note A by which the players tune their instruments.
55 the runners (message-bearers) were particularly exposed to enemy fire.
62 Paul Dukas (1865–1935) and Vincent d'Indy (1851–1931) were French
composers.

p. 60 'Le feu'

Fire is an archetypal token of war. And Barbusse's *Le Feu* was perhaps the
best-known novel of the war. Yet here, Granier is evoking images of peace.
It is one of several poems in which he appears to describe flames as objects
in their own right. Cf. 'L'incendie'.

PIERRE JEAN JOUVE (1887–1976)

Jouve is one of the most individual poets of the twentieth century,
combining eroticism and mysticism in a personal mythology, notably in
Noces (1931) and *Sueur de sang* (1935). In exile during the Second World
War, he combined spirituality and humanist patriotism in powerful
Resistance poems. During the Great War, however, he was fiercely pacifist
('je rejette la patrie haineuse', *Poème contre le grand crime*, p. 46), most of
his work being published in Switzerland because of its anti-war message.
He was a close associate of Romain Rolland at this time, and published a
book about him in 1920. Like many of the anti-war poets, Jouve speaks as
a lone and rejected prophet. He was later to repudiate all his work up to
about 1925, but his characteristic spirituality is already clearly emergent in
many of his war poems. *Vous êtes des hommes* (1915) was the only volume
of Jouve's war poetry to be published in France. In these early poems
(November 1914), his Europeanism and Christian faith resolve him to turn
against even his friends if they fight in the war. The texts of *Poème contre*

le grand crime (1916) are in rhetorical Claudelian 'versets', but they are repetitious, rhythmically slack and unconvincing. In *Danse des morts* (1917), however, the lines are shorter and more breathless, the tone harsh, discordant and deliberately (sometimes self-defeatingly) exaggerated. The book excoriates the civilians, from bankers to workers to poets, who are responsible for the war, but most of the poems are about soldiers, from the 'innocent victims' to the alienated ones who love their work. Throughout, gleeful, grateful commentaries are spoken by Death. Some of these poems are vivid descriptions of battle, yet Jouve could only know these things at second hand: it is important to compare such poems with those of soldier poets, and to consider what the comparison implies about the creative power of language. *Heures. Livre de la Nuit* (1919) expresses a temptation to reject the bellicose 'fourmilière' of humanity and to live in communion with God. However, in *Heures. Livre de la Grâce* (1920), while the evils of war are still to the fore, a conviction of the possibility of salvation underlies the whole book. Jouve's poems should be compared with those of other anti-war poets, such as Adam, Arcos, Chennevière, Larreguy, Martinet, Romains and Sauvage, and with other poems exploring the applicability of Christianity to the war, eg. by Arcos, Beauduin, Charasson, Claudel and Garnier.

p. 61 'Pour mon immense amour' (*Vous êtes des hommes*)

15 à pied d'œuvre: 'when we are ready to start'.

p. 61 'Fourmilières' (*Danse des morts*)

Cf. e.g. Adam, 'Coqs de combat', Apollinaire, 'Océan de terre', Granier, 'L'attaque', and the battle poems of Martel, Porché and Sauvage.

p. 63 'Le tank' (ibid.)

Tanks were first used in 1916, in Jouve's eyes the latest abuse of technological ingenuity. This is one of the poems in *Danse des morts* that are spoken entirely by La Mort.
1 marsienne: an apparent coinage, combining Mars the god of war with Mars the planet (the usual planetary adjective is 'martien').

pp. 63, 64 'L'homme qui serait mort...', 'Ce qu'est un homme grand...' (*Heures. Livre de la Nuit*)

Two of the 'Huit poèmes de la solitude', dated '11 novembre 1918, jour de la Victoire'. 'L'homme qui serait mort...' evokes the miraculous transition, for a soldier, from the expectation of death to the expectation of life. The germ of fatalism in 'Ce qu'est un homme grand...' is comparable to that in Arcos' 'La tragédie des espaces'. For other poems on the end of hostilities, see Martinet, 'Lundi 11 novembre 1918' and Noailles, 'La Paix'.

p. 64 'Et si tu tardais...' (ibid.)

From a section entitled 'La tombe', a meditation on, and invocation to, death. The poem is addressed to death. The 'leur' of l. 8 are all those – the craven, corrupt, war-thirsty masses – against whom the pacifist Jouve had railed throughout the war.

MARC DE LARREGUY DE CIVRIEUX (1895–1916)

Larreguy was born into an old conservative family, and was for a while in the right-wing *Action française* movement. By the time he joined the army in 1915, however, he was an admirer of the nineteenth-century internationalist poet and statesman, Lamartine. From the time he went to the front in July 1915 to his death at Verdun in November 1916, his opposition to the war grew continuously. His angry, scornful poems are sometimes callow (he never had time to polish them, and does himself speak of their 'crudité violente'), but sometimes very sure in aim and tone in a variety of styles. He is particularly hostile to the armchair 'generals' of Paris, journalists and poets alike. His poems were published in 1920, as *La Muse de Sang*, with a preface by Romain Rolland, who sees him as a 'martyr' to the cause of the new Humanity; in a moving afterword, Larreguy's father blames himself for having urged his son to enlist.

p. 65 'Nuit de garde'

There is something of the folk tradition in the simplicity, repetition and grotesque irony ('don't go to sleep, you're supposed to be dying') of this poem.
3 la Camarde: a colloquial name for Death.
10 de pleurer nuit: i.e. 'cela nuit de pleurer' ('nuit' is from 'nuire').

p. 65 'Le Drapeau de la Révolte'

The form is essentially old-fashioned and rhetorical; but what is the effect of the rich rhyme? For the proto-revolutionary sentiments, cf. e.g. Garnier's 'Des villes sautent' and Martinet's 'Musique militaire'.

p. 66 'L'épître au perroquet'

One of two poems from a monkey in Argonne to a parrot in Paris. The monkey is a soldier in the trenches, the parrot a warmongering civilian, perhaps one of 'nos jeunes Ronsard / Qui chantent les combats sans y avoir pris part' (*La Muse de Sang*, p. 41). The poem is an attack on Maurice Barrès. It contains allusions to his daily column in *L'Écho de Paris*, and to others of his writings: *Sous l'œil des barbares*, *Colette Baudoche* (Colette is a girl in occupied Alsace who patriotically refuses to marry a German), and *Du sang, de la volupté et de la mort*, in which he dwells on the Spanish fascination with death. Prosody and rhyme play a crucial part in the satire.
6 of the various slogans invoked in the poem, 'On les aura' is the one most commonly found in publications of the time. The others are more like distillations of triumphalist trumpetings than true quotations.
11 sans peur et sans reproche: see Arcos, 'Ennemis' and note.
23 the actual proverbial expression is 'La caque sent toujours le hareng' ('What's bred in the bone will out in the flesh').

p. 67 'Le civil dit...'

The last of a set of four 'Soliloques du soldat'. People began seriously complaining of 'la vie chère' in 1916, as food prices rose and shortages began to be felt. This poem is dated 2 September 1916.

4 cf. the expression 'gâcher le métier', to 'ruin the trade' by undercutting prices.
5 the allusion is to the red 'bonnet phrygien', modelled on headgear worn by the ancient Phrygians, and worn as a symbol of Liberty by militants in the French Revolution. It was adopted as the symbol of the Republic. 'Marianne', the personification of the Republic, is always shown wearing a 'bonnet phrygien'. The focus of the attack is perhaps not clear here – Republicanism? the State? a perceived betrayal of the Republican values of *liberté, égalité, fraternité* by the war-waging Third Republic? Cf. the 'nouvelle Trinité' of ll. 32 and 37–38.
9 the cattle market and slaughterhouses of Paris were in the La Villette *quartier*.
11 figuratively, a 'coup de boutoir' is an 'attack' or 'thrust'; the expression is often used in military or sporting parlance; but the literal meaning of 'boutoir' is 'snout' (of a pig or boar). What is the effect here?
22 abatis: normally 'abattis'.
33 Benedicite: a grace said before meals; usually spelt 'Bénédicité'.
34–35 the martyred soldiers are compared to Christ, and 'living off' them is compared to the Eucharist. Compare and contrast Beauduin's poems, Claudel's 'Le précieux sang' and Garnier's 'Des villes sautent'.

p. 68 'Depuis les jours de Charleroi...'

The first of the 'Soliloques du soldat'. In something like folk-song form, Larreguy is speaking *as* one of the silent, humble victims in whose name he speaks in 'Le Drapeau de la Révolte'. Charleroi and the Marne were two of the first battles of the war. The 'refrain' of the poem echoes one of the great refrains of the resigned 'poilus', 'Faut pas chercher à comprendre'. Such unthinking resignation was a way of living with the horror. Larreguy himself, however, according to Rolland, was described thus by an officer: 'Il a les plus grandes qualités; mais il a un grave défaut: il pense!' (*La Muse de Sang*, p. 9).

ANDRÉ MARTEL (1893–1976)

Poèmes d'un poilu 1914–1915 (1916) exhibits a wide range of tones. Martel occasionally delivers himself of edifying anti-German bombast; and he is sometimes sentimental, although the sentimentality is relatively understated. Most typically, however, he is good-humoured, often downright comic, capturing the chirpy resignation that Dorgelès said was in part characteristic of the 'poilu' in the trenches (see notes to Adam's 'Coqs de combat') and which can indeed sometimes be found in trench journalism (see Audouin-Rouzeau 1986). (There is even a distant adumbration of the colourful, humorous verbal inventiveness of Martel's work of the 50s and 60s, reminiscent of Lewis Carroll or Henri Michaux.) Barrès and other civilians will have been reassured by such first-hand confirmations that the morale of the 'poilus' was good and that they were prepared to punish the Hun in the name of Justice and Right. It is noticeable, however, that very few soldiers published such material after 1916. In any case, there is more to Martel's poems than jingoism, and even a poem like 'Le Dur' seems to have several layers of meaning. Martel's poems should be compared with those of other soldier-poets, e.g. Adam, Aragon, Beauduin, Chennevière, Garnier, Granier, Larreguy, Porché and Sauvage, as well as with those of

Cocteau and Jouve. All the poems given here are from *Poèmes d'un poilu 1914–1915*.

p. 69 'Exécution'

Fleas and lice were a scourge in the trenches; cf. 'Inondation', l. 31, and Jouve's 'Fourmilières', l. 23.

p. 69 'Inondation'

In many ways, water and mud were greater discomforts and dangers than fire; cf. Henri Barbusse's *Le Feu*, p. 355. This oxymoron of the last line expresses this in sinisterly comic mode, as does, throughout, the use of 'tac' (a dry sound – cf. the machine gun in Adam's 'Coqs de combat') instead of, for instance, 'ploc'.
31 totos: fleas.

p. 70 'Le Dur'

Many poems, by soldiers and civilians alike, recounted real or imaginary combat in would-be epic style. This poem is included here because it is in many ways typical of the genre. It is easy to tick off the clichés: the (?too-) regular alexandrines, the quantities of adjectives, the anaphora of ll. 5–9, the larger-than-life heroism of Émile, the use of 'Teuton', the inevitable anathema on the Kaiser, etc. Are there any redeeming features in the poem? Are there any points of resemblance between it and others by Martel? Compare the battle poems of Adam, Apollinaire, Aragon, Garnier, Granier and Porché.

p. 71 'Les pluies'

5, 6 Bellona was the Roman goddess of war; Pluto was the king of Hades, and god of the dead.
7–8 a grisly variant on the many folk songs in which shepherdesses ('bergères') watch over their sheep (e.g. Fabre d'Églantine's 'Il pleut, bergère', which begins : 'Il pleut, il pleut, bergère, / Rentre tes blancs moutons'). Who is the 'Bouchère'? Cf. (perhaps) Larreguy's 'Le civil dit...'.
19 cf. Apollinaire's 'Fête' and notes.

p. 71 'Faiblesse'

Cf. Arcos, 'Printemps (1917)', Delarue-Mardrus, 'Clair de lune', Noailles, 'Les jeunes ombres', and Romains, 'L'automne'.

p. 73 'Concert'

Cf. Granier's 'L'attaque'. The noise of battle was often compared to music. How does this poem compare with Apollinaire's 'Fête'?
25 the Lebel was a rifle.
33 tourne-boches: 'poilu' slang for 'machine gun'.
46 occis: a facetious use of the past participle of the archaic verb 'occire', 'to slay'.
54 la sensible: the subtonic note in a scale; it normally resolves, in a cadence, to the note lying a semitone above it.

MARCEL MARTINET (1887–1944)

An internationalist and socialist, Martinet was a local government officer in Paris. When war was declared, he was horrified at the espousal by most socialists of the *Union sacrée* mentality. As the war went on, Martinet, who was exempt from military service, entered into contact with leading opponents of the war at home and abroad. He expressed his anti-war views in a series of passionate poems, *Les Temps maudits* (1917). The French censorship banned it, so it was published in Switzerland. An expanded edition was finally published in Paris in 1920. Martinet was to say of these poems that they were 'un cri de malédiction [...] un chant d'espoir quand même' (*Hommes*, p. 7). In 'Ce soir...', he looks forward to the time when 'nous forcerons avec notre impuissance / La victoire promise aux éternels vaincus' (*Les Temps maudits*, p. 135). There are a number of poems with paradoxical, millenarian endings like this, but the weight falls mostly on indignant disappointment at the conscious or unconscious betrayal of socialist internationalism by the very people it was intended to help, or on scathing condemnation of the warmongering ruling classes. Yet the bitterness is often allayed by sympathy. Many of the finest poems, too long for this anthology, are very rhetorical – not bombastic, but with a thrilling feel of oratorical spontaneity about them. In the shorter poems, this vibrancy does not have so much chance to develop, but those selected here do give some idea of Martinet's thematic and stylistic range. All the poems here are from *Les Temps maudits*.

p. 74 'Musique militaire'

The whole poem is too long to include, so the middle 29 lines have been omitted. The poem is a good example of Martinet's rhetorical manner. The intoxicating excitement of listening to a military brass band was a potent recruiting device. Compare the treatment of music with Granier's 'Musique' and 'L'attaque' and Martel's 'Concert'. Compare the effect of the music with that of the oratory of writers like Martinet himself, or Claudel. Compare also the unanimism of Chennevière and especially Romains. As he does a number of times in *Les Temps maudits*, Martinet draws a contrast between the socialists of 1848 and 1871, who willingly gave their lives in the fight for justice, and those who, in the Great War, are the alienated victims of an unjust cause, fighting their fellow socialists in an imperialist, capitalist war.

73–81 these lines are a (counter-)pointed reference to the litanic 'Prière pour nous autres charnels' in Charles Péguy's *Ève* (1913), which begins: 'Heureux ceux qui sont morts pour la terre charnelle, / Mais pourvu que ce fût dans une juste guerre. / Heureux ceux qui sont morts pour quatre coins de terre. / Heureux ceux qui sont morts d'une mort solennelle.' The formulation is modelled on the Beatitudes (Matt. 5.3–10) Compare and contrast Beauduin's 'Action de grâces' and note, Claudel's 'Le précieux sang' and Noailles' 'Héroïsme'.

p. 76 'Médailles'

Cf. Aragon's 'Les ombres se mêlaient...', and Sauvage's 'Le châtiment' and notes. Cf. also Noailles' moving use of the medal image for a different, but perhaps related, purpose in 'Victoire aux calmes yeux...'.

p. 77 'Elles disent...'

4–5 cf. Sauret's 'Elles', ll. 33-36.
8 Henri Barbusse was the socialist author of one of the most famous novels of the war, *Le Feu*, a shocking account of life at the front which shared the prix Goncourt in 1916. That this anti-war book got past the censor was a matter of happy, or unhappy, chance.
9 Andreas Latzko's anti-war novel, *Menschen im Krieg* ('People in War'), was published in Switzerland in 1917. Extracts were printed in a number of French anti-war periodicals.
17–18 one of the commonest experiences of soldiers was that civilians could not conceive the reality of life in the trenches. Unwilling or unable to explain the reality, soldiers often played it down. There is just such an episode in *Le Feu*, Chapter 22. Cf. Adam's 'Supplicque', Chennevière's 'L'étranger' and Garnier's 'Il pleut encore...'.
22 cf. Larreguy's treatment of the theme of shortages in 'Le civil dit...'.

p. 78 'Lundi 11 novembre 1918'

Cf. Jouve, 'L'homme qui serait mort...' and 'Ce qu'est un homme grand...', and Noailles, 'La Paix'. For the ambivalence of the ending, cf. analogous ambivalences in Arcos, 'Printemps (1917)', Garnier, 'Nostalgie de la guerre' and Martel, 'Faiblesse'.

ANNA DE NOAILLES (1876–1933)

Anna, comtesse de Noailles, was a popular figure both socially and artistically. Her pre-war poetry expresses a monistic celebration of life and living. There is an underlying melancholy, however; she is too aware of loneliness, transience and death to believe in the spiritual beyond for which she yearns. It is a poetry of someone sensitive to place, season and time of day. Her verse is technically old-fashioned, but the voice that speaks in it is individual and passionate, and the descriptive detail is often fresh and vivid. Some of her war poetry gives voice, grandiloquently but never hysterically, to the patriotic clichés of the time. But much of it is more subtle than that, expressing tensions between patriotism and scepticism, between triumphalism and discretion (or even despair), between a need to put the war into words and a realisation that words are not up to it. As with Charasson, Delarue-Mardrus, Périn and Sauret, one significant question is that of how far she writes as a *civilian*, and how far as a *woman*. Her post-war poems are often darker in mood than her previous ones, expressing a stoical acceptance of loss and death. All the poems reproduced here are from *Les Forces éternelles* (1920).

p. 79 'Verdun'

Dated November 1916. Fort Douaumont was recaptured on 24 October, Fort Vaux on 2 November. Although fighting was to continue into December, the battle of Verdun was effectively over, and the name seemed destined to become legend. What are the elements in the legend as envisaged in this poem?
7–9 in 'Entre les tombeaux et les astres' (*Les Forces éternelles*, pp. 72–75), Noailles makes the following offer to the twenty-year-old dead, who have not had a chance to live: 'Avancez vers nos cœurs vos invisibles mains, /

Voici, pour célébrer vos grandes fiançailles, / Toutes les filles des humains!' How does this idea compare with that of Verdun as 'pantelante
veuve'?
10, 22 Passant: a regular way of starting an epitaph, familiar from the
ancient Greek tradition. There is doubtless an allusion here to the famous
epitaph written by Simonides in honour of the Spartan dead at Ther-
mopylae: 'Tell them in Lakedaimon, passer-by, / That here obedient to
their word we lie.' This is explicitly alluded to in 'Les morts pour la Patrie'
(*Les Forces éternelles*, pp. 32–36).
18 gisants: what is the effect of using the adjective (or noun) rather than
the more normal present participle?
21 cf. John 1.14: 'the Word was made flesh' ('le Verbe s'est fait chair').
What are the implications of Noailles' variant of the dead-in-the-soil topos?
Cf. 'Les jeunes ombres'.

p. 79 'À mon fils'

Dated January 1915. Noailles' son, her only child, was born in 1900. Her
husband had been at the front from the outbreak of hostilities. This poem
compares suggestively with 'Astres qui regardez...' and 'Héroïsme'. Cf.
also Delarue-Mardrus' 'Régiments' and Périn's 'Vos fils de dix-huit ans...'.
What is the effect of giving 'Histoire' (l. 15) a capital H?

p. 80 'Astres qui regardez...'

Comparing this poem with 'Verdun' and with 'Héroïsme', how convincing
is the 'sublimity' of the soldiers (l. 5)? Cf. 'Les jeunes ombres', Arcos' 'La
tragédie des espaces' and 'Printemps (1917)', and Martel's 'Faiblesse'.

p. 80 'Victoire aux calmes yeux...'

A characteristic twist to another topos, this time that of France's war being
a just war and destined to be rewarded with victory. Cf. 'Astres qui
regardez...' and 'Héroïsme'.

p. 81 'Les jeunes ombres'

Another variant on the dead-in-the-soil topos. Cf. 'Verdun' and, for the
themes of Nature and of the gulf between living and even the noblest death,
'Astres qui regardez...'. Cf. also Arcos, 'Printemps (1917)', Garnier,
'Nostalgie de la guerre', Martinet, 'Lundi 11 novembre 1918', and Périn,
'Marché'.

p. 82 'Héroïsme'

One of a number of poems in *Les Forces éternelles* voicing the popular
patriotism of the time.
9 doubtless a deliberate allusion to Péguy's *Ève* – see Beauduin's 'Action
de grâces' and note, and cf. Claudel's 'Le précieux sang' and Martinet's
'Musique militaire', ll. 73ff.

p. 82 'La Paix'

Dated 11 November 1918. Printed immediately after 'Héroïsme' in *Les
Forces éternelles*. Compare especially 'Les jeunes ombres'. For other

poets' treatment of the Armistice, see Jouve, 'L'homme qui serait mort...'
and 'Ce qu'est un homme grand...', Martinet's 'Lundi 11 novembre 1918'
and Delarue-Mardrus' proleptic 'Nocturne à Paris'.

CÉCILE PÉRIN (1877–1959)

Périn's poetry typically expresses gently sensuous acceptance of the
pleasures of the natural world and domestic life. In *Les Captives* (1919),
however, while it is unmistakably Périn's voice that is heard, a note of
anguish and sometimes of incipient protest is struck. The volume
exemplifies specifically female reactions to the war which are to be found
in many other women poets. *Les Captives* spans the whole war, and nearly
all the poems speak for or to women – women who recognise the need to
defend France and who are confident of victory; women who regret that
their sex prevents them from fighting at the front; women bereaved of sons
and husbands; women working in munitions factories; woman outraged at
the endless slaughter, convinced that the war should be halted, yet not quite
daring to rise in protest against it; women conditioned to self-denial,
resignation and passivity, acceptingly subservient to men and to heroes.
There is a manifold and moving empathy in *Les Captives*, and stoical
dignity, but the poems are rarely maudlin, pompous or stodgy. Far from it:
they often have a rhythmic, and especially a phonic, fluidity which gives
them real individuality and a kind of quiet, discreet, yet sometimes almost
oral, resonance. All the poems given here are from *Les Captives*.

p. 83 'Avril de guerre'

The last three lines also figure as the epigraph of *Les Captives*.

p. 83 'Les hommes sont partis...'

4 roses doubtless thrown to them by excited girls watching the troops
march off to war in August 1914. Cf. the tragic last lines of another poem
in *Les Captives*, 'Les jeunes filles...' (pp. 44–45): 'Les jeunes filles ont de
tendres yeux qui guettent / Tout ce qui luit, tout ce qui vit, tout ce qui veut /
S'élancer hardiment par le monde. Elles jettent / Aux soldats qui s'en vont
la fleur de leurs cheveux.' Cf. Delarue-Mardrus, 'Aux gas normands', ll.
27–28.

p. 84 'Vos fils de dix-huit ans...'

The first two stanzas seem to be addressed to mothers. What does the poem
as a whole imply about the position of women in society? Cf. Delarue-
Mardrus, 'Les gardiens' and 'Régiments'. All the rhymes have the same
tonic vowel: what is the effect?
7 cf. the following lines from another poem in *Les Captives*, 'Nous qui
avons gardé...' (pp. 121–2), addressed to the men crippled by the war: 'Nos
frères mutilés, vous restez nos guides, / O vous que la douleur aura rendus
sacrés!'

p. 84 'J'avais toujours pensé...'

Cf. 'Et vous dormez en paix...' and 'Marché'; also Delarue-Mardrus'
'Veillée d'armes' and Sauret's 'Elles'.

p. 84 'Et vous dormez en paix...'

Cf. 'Marché', Martinet's 'Elles disent...' and Sauret's 'Elles'.
8–10 i.e. in the first flush of patriotic enthusiasm in the winter of 1914–
1915, the woman had busily knitted warm clothing for the men at the front.

p. 85 'Marché'

Compare Périn's treatment of the rise in food prices with Larreguy's 'Le
civil dit...' and Martinet's 'Elles disent...'. Cf. also Adam, 'Supplicque',
Chennevière, 'L'étranger', Garnier, 'Il pleut encore...' and 'La veillée',
Romains, 'Je remercie la demeure...' and Sauret, 'La révolte'.

p. 85 'Les femmes de tous les pays'

How might the criticism of women in this poem be squared with the various
modes of silence invoked in Périn's other poems?

p. 85 'Je pense à ceux...'

Cf. 'Et vous dormez en paix...' and 'Marché' and notes, and Garnier's
'Consentement'. What is the tone of this poem?

FRANÇOIS PORCHÉ (1877–1944)

Porché had published poetry before the war, and *L'arrêt sur la Marne* in
1916, but *Le Poème de la tranchée* (1916) made him one of the best-known
soldier-poets of the war. 671 lines long, the poem is divided into three
parts, 'La veille', 'Le jour' and 'Le lendemain'. It describes the build-up
before an attack by French infantry, the paroxystic attack itself, and the
numb aftermath. *Le Poème de la délivrance* was published in 1919, along
with the more striking *Images de guerre*. These 'images', a mixture of
prose and verse, are brief, understated and often moving notations of
impressions and episodes.

p. 86 'Villages de l'arrière' (*Images de guerre*)

12 martyrologe: martyrology, i.e. the list of martyrs.

p. 86 *Le Poème de la tranchée*

Taking extracts usually distorts a poem, which is why the general rule in
this anthology is only to include whole texts. But this poem is, on the one
hand, so representative of battle poetry written by soldiers and yet, on the
other, such an interesting attempt to break with the clichés of that poetry,
that I have made an exception to that rule. Discrete sections are taken from
the second two parts of the poem, 'Le jour' and 'Le lendemain', to give an
idea of its progression and its variety. Compare the battle poems of Adam,
Apollinaire, Garnier, Martel and Sauvage, and those of the non-combatants
Claudel and Jouve. 'La veille' contains this simple explanation of why the
French were fighting: 'Voici bientôt deux ans qu'*ils* se sont cramponnés /
Aux champs en friche, aux bois, aux murs abandonnés. / Infiltrés dans le sol
comme une source impure, / Ils cherchent à tâtons quelque étroite fissure /
Qui pût ouvrir la route à leur immense flot' (p. 18).

p. 86 'Le jour'

43 fougasse: a small mine, generally used defensively.
62 ciseau: wire-cutters, for piercing the barbed-wire entanglements.
81 the 'homme en gris' is the German, the 'homme en bleu' the Frenchman.
91–93 this reminder of the difficulty of finding words to describe the experience also asks whether it is decent even to try to; cf. 'Le lendemain', ll. 50–52.
141 usually, 'entonnoir' in First World War writing denotes the funnel-shaped shell-craters. Here, the image is primarily of something like a manual coffee-mill or mincer. As the handle is turned, the contents are drawn down to their fate; cf. a related image from 'La veille': 'voici l'instant terrible / Où les grains confondus, jetés ensemble au crible, / Vont s'envoler ensemble vers leur destin' (*Le Poème de la tranchée*, p. 26).

p. 91 'Le lendemain'

35–58 this is the closing section of the poem. The central theme of the whole poem is given its most pointed expression. Several questions are implied. What is the relation between the soldiers and France? If France – 'mère et patrie' (l. 53) – maintains an admirable silence, what is the status of the text, which breaks silence in an apparent attempt to express the inexpressible (cf. 'Le jour', ll. 91–93)? What indeed *is* the 'patrie' – the soil (cf. ll. 49, 56), its produce (ll. 46, 56), or values defended by past armies (cf. ll. 41–44)? – Or all, or none, of these?
41–44 the 'tricorne à cocarde' and the 'schako (an old spelling of 'shako') du voltigeur' are probably allusions to the Revolutionary and Napoleonic armies, although the latter could also refer to the soldiers of 1870; the 'bonnet lourd de la garde' is the guardsman's bearskin; the 'bourguignotte' was a helmet worn in the sixteenth and seventeenth centuries, but the word was sometimes used to denote the steel helmet of the 'poilu', first issued in April 1915.
53 mère et patrie: France as mother(land) was one of the great topoi of Great War writing; Beauduin's poems are a passionate variation on it. How clichéd is Porché's treatment of it?

JULES ROMAINS (1885–1972)

Primarily known as a novelist and comic playwright, Romains was first known as a poet (*La Vie unanime*, 1908) and as the founder of unanimism. This movement, with which Arcos, Chennevière and Jouve were also associated, postulated that groups of people, however defined, had a collective soul or spirit which conditioned individual members' behaviour. Unanimism marked much of Romains' subsequent work, above all *Les Hommes de bonne volonté*, a twenty-seven volume novel (1932–1946) of which two volumes, *Prélude à Verdun* and *Verdun*, are striking representations of the war (although Romains had no experience of combat). With Chennevière, he wrote a *Petit traité de versification* (1923), whose central tenet is applied in his own poetry, viz. the essential presence of 'accords' (alliteration, assonance, consonantal rhyme) in two or more of a given group of lines. All Romains' war poems are published in *Chants des dix années* (1928). Most express nostalgia, bitterness or sometimes self-reproach following the apparent defeat of unanimist Europeanism.

There is sometimes a heated castigation of others, reminiscent of Chennevière, Jouve and Martinet, but the emotion is generally discreet and controlled, occasionally bordering on a quietism which may or may not be at odds with the unanimist sensibility that informs the volume as a whole.

p. 93 'Je remercie la demeure...'

The temptation simply to turn one's back on a monstrous world is expressed in a number of Romains' war poems. Cf. Périn's 'Marché' and notes.

p. 93 'Europe!...'

The second poem in a set of two. The first is in long, flowing lines, and expresses memories of travel and international exchange in peacetime. How convincing is the indignant protest of the second against censorship and bellicosity?

p. 94 'Une angoisse qui tourne...'

The first of a set of three poems. The other two are more explicitly critical of the war, demythologising the notion of hero and seeing the doomed soldier as passing into a complicated series of traps. The set ends: 'Comme l'univers est d'accord / À vouloir qu'il meure demain!' (*Chants des dix années*, p. 63).

p. 94 'L'enseigne dort...'

The first of a set of four poems describing groups of men in different parts of the world all travelling to the war in Europe. ('Deux trains...' and 'Mais d'autres flottes...' are the third and fourth in the set.)
1 enseigne: (naval) lieutenant.
15–16 the crew need to look out for hostile submarines.

p. 95 'Mais d'autres flottes...'

The last poem in the series begun by 'L'enseigne dort...'. Lines 7–8 allude to the second poem, not given here, which describes a column of Tartar horsemen. The 'disques' (l. 9) are railway signals.

p. 96 'L'automne'

One of 'Les quatre saisons', dated 1916, all unanimist variations on the theme of escape from the war. The vision of release dissolves like the mist, or like bodies in battlefield mud.
24 limon: alluvial mud, but also the dust or clay from which God created Adam ('Dieu forma l'homme du limon de la terre', Genesis 2.7).

EDMOND ROSTAND (1868–1918)

Rostand is best-known for his verse theatre, above all the virtuoso *Cyrano de Bergerac*. In many ways, his war poetry, gathered in *Le Vol de la Marseillaise*, celebrates the same combination of patriotism, courage and panache as *Cyrano* does. When war broke out, Rostand conceived *Le Vol de la Marseillaise* as a single vast poem, opening with the *Marseillaise* taking wing in Strasbourg (where it was composed in 1792) and returning there after liberating the peoples. Rostand was unable to finish it before his death. Thematically, it is typical of the great majority of patriotic poetry of the war. It repays comparison with Claudel and Beaduin. Synonymous with Grace, both aesthetic and theological, France has been chosen by God to save civilisation. French humanity, wit and style are contrasted with the brutishness, and brutality, of Imperial Germany. The invective can be turgid, but there is a variety of tones and forms, and the extended conceits often have a nonchalant dextrousness which sometimes verges on doggerel and seems to be a deliberate contrast with the perceived ponderousness of Teutonic 'Kultur'. Most of the poems in *Le Vol de la Marseillaise* are too long to reproduce here, but those chosen are good examples of Rostand's most typical modes.

p. 97 'Les ruches brûlées'

Typical of the atrocity and vandalism stories that abounded in the war, this one may or may not be grounded in fact (many were sheer fabrication). The beehives are the old-fashioned kind, made of straw. Fraimbois is a little village about 30 miles south-east of Nancy.

24 the *Fables* of La Fontaine (1621–95) are one of the icons of French culture; the allusion may be to 'Les frelons et les mouches à miel', whose first line would incidentally make a sarcastic comment on the German soldiers' handiwork: 'À l'œuvre on connaît l'artisan'. Rostand represents the philosophical and literary origins of modern civilisation by Plato, who likens society to a hive in the *Republic*, and by Vergil, whose fourth *Georgic* is on bee-keeping. The Belgian playwright Maeterlinck (1862–1949) also wrote a remarkable essay entitled *La Vie des abeilles* (1901).

58–61 cf. Beauduin's 'Credo', ll. 14–16.

63 Ronsard is the best-known poet of Renaissance France; rose imagery is central to some of his most famous poems.

64–65 André Chénier is the best-known poet of eighteenth-century France; an early supporter of the Revolution, he sarcastically attacked its excesses and was guillotined. Rostand's allusion is doubtless to the second of the *Iambes*, in which Chénier says that his true voice is honey, not venom, and that when the whole hive of his work is opened, it will be seen that he only turned to satire in defence of peace, the *patrie* and humanity.

67 much of the Belgian town of Louvain, including some magnificent medieval buildings and the university library, was burned down by German troops in August 1914, who alleged that it was harbouring snipers.

77 couverts de roses: see note to Delarue-Mardrus, 'Aux gas normands'.

p. 99 'La cathédrale'

Most of the patriot-poets wrote of the damage done to Rheims cathedral by German artillery in 1914. The cathedral has triple symbolic significance, as an ancient place of Christian devotion, an example of French architectural genius, and the place where French kings were crowned.

3 Phidias was an Athenian sculptor of the 5th century B.C.; Rodin (1840–1917) was one of the most famous of all French sculptors. Rodin often gives his work an unfinished or damaged appearance, so that it has some of the suggestiveness of ancient sculptures eroded and broken by time.

14 the Parthenon is a now half-ruined Athenian temple, for which Phidias did the carvings.

p. 100 'Le bleu d'horizon'

Garance was the dye used for the bright red trousers of the French infantry up to 1914. Their trousers and royal blue coats made French soldiers easy targets. This uniform was replaced with the pale *bleu horizon* in 1915. Contrasting the new uniform with the German *feldgrau*, Rostand develops a typical conceit on the notion of 'horizon'.

p. 100 'L'année douloureuse'

Written in 1916. A striking variant on the theme of the dead in the soil of France.

HENRIETTE SAURET (1890–1976)

Sauret's pre-war poetry expresses delight in living and in creativity. Her two volumes of war poetry are filled with anger and despair at humanity's sudden lurch into destruction and death. In *Les Forces détournées* (1918), the misappropriated 'forces' are both the physical forces of the natural world and the ability of human beings to mediate them in science, technology, philosophy and art. *L'Amour à la Géhenne* (1919) is more of an exploration of the private 'torture' of lovers separated by the war. Sauret bitterly attacks those who hold that war is essential to a healthy nation and those who exalt and mythify death in battle (e.g. in 'La guerre salvatrice' and 'Les bavards', *Les Forces détournées*, pp. 35–37, 53–56). She sometimes implies that there may be a specific role for women in anti-war protest, their very 'helplessness' in the face of military reality being a potentially important weapon in the struggle; but she does not suggest how that weapon might be forged or used. Her poems should certainly be compared with those of Charasson, Delarue-Mardrus, Noailles and Périn. At its best, her writing has a rough-and-ready directness, sometimes effectively grating and grotesque in its mockery. Sometimes, however, it is rather dilute, and sometimes frantically escapist. Sometimes excessive earnestness blunts the cutting edge, but Sauret still makes her points clearly enough for six of the poems in *Les Forces détournées* to have been severely cut by the censor. Two of these poems are reproduced here with the gaps, because reading them is in itself a striking encounter with the gagging of independent thought against which Sauret protests. All the poems here are as printed in *Les Forces détournées*.

p. 101 'Le joug'

When first published, in *Vivre* 5 (May 1917), the poem was actually printed entire. Here are the lines missing from *Les Forces détournées*, as reprinted in N. Sloan Goldberg (1988): 'Des pourvoyeuses de charniers, / Voilà les races altières! / Et le continent des lumières / N'est plus qu'une usine à tuer. // ...Ah! chasser cette fixe idée: / Les hommes en sont encor là! / Ceux de l'instinct difforme et bas, / Ceux des rixes et des curées! // S'évader des pires prisons / Celles où l'âme sent sa perte! / Fuir l'anathème et le canon!'

p. 101 'La révolte'

Revolt, or escapism? Cf. Delarue-Mardrus, 'Clair de lune', Garnier, 'La veillée', Périn, 'Marché' and Romains, 'Je remercie la demeure...'.

p. 102 'Avertissements'

Cf. especially the poems of Charasson and Périn, but also all those in which the gulf between soldier and civilian is expressed (see Garnier's 'Il pleut encore...' and note).

p. 103 'Elles'

The text is that of *Les Forces détournées*. Even without the censored lines, which I have been unable to find, the poem compares instructively with all the other evocations of the position of women left at home (see especially Charasson, Delarue-Mardrus and Périn). Note that the last ten lines of the poem as printed in N. Sloan Goldberg (1993) in fact belong to a different poem, 'Non, ils n'étaient pas beaux' (*Les Forces détournées*, pp. 103–5).

19 French readers will see in 'Camille' an allusion to Corneille's tragedy *Horace* (1639). Camille has the best speech in the play, a scornful tirade in which she rejects the jingoistic, militaristic (and, by implication, patriarchal) values in the name of which her brother, Horace, has killed her fiancé; outraged by her disloyalty to Rome, Horace sanctimoniously kills her. In Greek mythology, Niobe had fourteen children; they were all killed, and she wept for them until she turned into a column of stone, from which the tears continued to flow.

30 Clémence Isaure: an allusion to Florian's famous ballad, 'Romance de Clémence Isaure', which tells how her father imprisoned her in chains because she refused the husband he had chosen for her. Her beloved is killed while saving her father's life in battle. She bequeathes the flowers she had given her lover, now stained with his blood, as the trophy in a song competition. 'Dame Malborough' is most likely an allusion to the well-known anonymous eighteenth-century folk song, 'Mort et convoi de l'invincible Malbrough', in which the General's wife is finally brought news of his death in battle. (The real Duchess of Marlborough actually exercised considerable political influence under Queen Anne!)

33–36 ambulances: field hospitals, just behind the front. Many voluntary 'ambulances' were set up by civilians during the war. There is doubtless a grain of justification for Sauret's sarcastic attitude to the volunteers. Cf. Martinet, 'Elles disent...', ll. 4–6.

p. 104 'La Paix des Dames'

1 Margaret of Austria (1480–1530) was appointed ruler of the Netherlands by Charles V, the Holy Roman Emperor. Louise of Savoy (1476–1531), the mother of François Ier, ruled during his absence in the wars against Charles. The two women negotiated the Peace of Cambrai in 1529.

2 leaving out the 'la' before 'guerre' gives the line an archaic flavour, consonant with the 'charmante' (l. 16) sixteenth-century story being told; so does the use of 'grand'douleur' (l. 6) instead of 'grande douleur'.

MARCEL SAUVAGE (1895–1988)

A soldier-poet hostile to militarism, Sauvage published his first volume, *Quelques choses*, in 1919. These were violent anti-war poems, and were followed by *Cicatrices, éclairs encore des douleurs mortes* (1920), some of which date back to 1915. Revised versions of some of the poems of *Quelques choses* were reprinted, along with *Cicatrices*, in *À Soi-même*

found in some of his war poems, and continued to mark his poetry in prose and in verse throughout his career. His mature poetry is often also marked by an allusive humour, but the war poetry is angry, hallucinatory or sarcastic rather than comic. Sauvage also issues warnings that Germany will one day seek revenge (e.g. in 'Ivresse', *À Soi-même accordé*, p. 45). The poems are given here as printed in *À Soi-même accordé*.

p. 105 'Course pour vivre'

Memories of three experiences are mingled and nourish one another: running in an athletics match, running seriously wounded to a first-aid post, and the subsequent battle against pain and death. Another poem in *À Soi-même accordé*, 'Visite' (pp. 15–16), gives vivid expression to Sauvage's fight for life in hospital after receiving his wound.

13–17 the runner straining for the line is comparable to the sufferer clenching hands and fists against the pain.

58–62 pain and loss of blood blur his vision. The grim, skeletal charlatan is presumably Death.

63 'haie' denotes an athletics hurdle as well as a hedge.

p. 107 'Le châtiment'

Many poets wrote of the plight of the war cripples, with inadequate pensions and unable to earn a living – a desolate extension into peacetime of the well-attested gulf between soldiers and civilians. Sauvage's bitter 'Complainte' (*À Soi-même accordé*, pp. 20–22) tells of a disabled soldier who complains, before being discharged, that his pension will not be enough, and is shot for mutiny. 'Réformé' (ibid., pp. 23–24) ends: 'La pitié c'est un rêve.' Cf. Aragon, 'Dominos d'ossements...', Martinet, 'Médailles' and, for a different perspective, the note to Périn's 'Vos fils de dix-huit ans...'.

8 the 'trolley' is the gear that collects power from the overhead wires.

45–46 the missing word is something like 'con' or 'bougre'.

p. 108 'Rappel'

A variation on the theme of the combatant-civilian gulf, this time persisting into peacetime. The poem appears to be addressed to a woman, but that is not essential to its meaning. Cf. Garnier's 'Nostalgie de la guerre' and note.

p. 109 'Résultat'

Cf. 'Rappel' and Chennevière's 'De profundis'.